コロナ時代の哲学

大澤真幸

THINKING オー 016

左右社

まえがき　〈不可能な世界〉の中から

二〇二〇年に入ってわずか数ヶ月で、新型コロナウイルス（COVID-19）なるウイルスがこの地球の人間が住んでいるすべての空間に広がり、少し前だったら――二〇一九年の末の時点だったら――誰ひとりとして予想していなかった世界に、私たちは入った。一千万人を超える人がウイルスに感染し、何十万もの人が――ときに葬儀すらあげられることなく――死亡した。一方で、医療関係者をはじめとする一部の人たちは決死の仕事に従事し、他方で、何億、何十億もの人が、日常の活動を、とりわけ経済活動を停止せざるをえなくなった。要するに、私たちは、ありえない世界、〈不可能な世界〉に入ったのだ。そして私たちはまだ、その〈不可能な世界〉の中にいる。

これほどのことを経験しているので、私たちは皆、とてつもなく大きな衝撃を受けている。それまでの人生や社会の基本的な前提が揺るがされるような衝撃を、である。世界の見え方は確かに変わっており、私たちは何かこれまでの人生では経験しなかった大きなものを感じている。

　だが、何を感じ、何を学んだのか、ということをはっきりと言葉にし、概念にすることは難しい。たとえば今、「新しい生活様式」ということが言われている。ウイルスに感染しないために――あるいは他人を感染させないために――、人と人との間に二メートル以上の距離をあけよう、マスクをつけよう、手指を石鹸でていねいに洗おう、食事のときにはおしゃべりを控えよう、等々のことが言われている。確かに、これもまた、このたび私たちが学んだ大事なことの一部だが、しかし、私たちが今驚いたり、悲しんだり、苦しんだりしていることは、こうした生活上の注意事項に関連したことがらだけではないだろう。私たちは、たとえば手指をていねいに洗ってこなかったこと（だけ）を後悔しているわけではない。私たちは、生と死の全体、世界や社会のあり方の根幹に関して、これまで見たことがないものを見ており、感じたことがないことを感じている。

　こういうとき、私たちはいかに困難でも、まさに感じ、経験していることを言葉にしようと努めなくてはならない。仮に完全には成功しなくても、できる限りの力を使って、言葉にするべきだ。なぜなら、言葉にしたことだけが――いや正確には言葉にしようとしたことだけが――、私たちが今経験していることから得つつあることを、有意味な変化として私たちの態度のうちに定着させるからだ。少なくとも、何とか言葉として捉えようと努めたことは、「うまくは語れなかった」

という不充足感とともに残り、後に概念によって救いとることができる。逆に、渦中や直後に言葉にしようと努めなかったときには、それはすっかり忘れられ、結局、私たちのうちにいかなる有意味な変化をも惹き起こさない。だから、私たちは、今のうちに——いろいろと語り書いたときに「ほんとうに思ったこととそれとはまだ違うな」という感触を生々しくもてる間に——、言葉にすべく努める必要がある。

今回の『THINKING「O」』は、そのような思いから、できるだけ急いで作った。言語化の努力に協力してくださった國分功一郎さんには心よりのお礼を申し上げたい。

ここに載せた対談や文章が、読者がまた〈不可能な世界〉についての目下の経験を把握するための助けになれば、本誌を世に送り出した意味もある。

二〇二〇年七月一日

大澤真幸

論文

大澤真幸

ポストコロナの神的暴力

「神的暴力というのは、あらたな権力や法を措定するというより、つねに権力の場所を更新する能力である。」

一　イエスの墓の前で

1　復活のイエスの最初の言葉

私たちは今、新型コロナウイルスの感染への予防策として、繰り返し、同じことを言われる。他人との接触を避けなさい、と。人と人とが接触することが最もよくないことだ、と。すると、新約聖書を読んできた者は、ほとんど条件反射のように、ひとつの句を連想せずにはいられないはずだ。「ノリ・メ・タンゲレ Noli me tangere」[*1]。「ヨハネによる福音書」二十章十七節にある、イエスの一言である[*2]。

イエスが十字架の上で絶命した後の週明けの初めの日、マグダラのマリアが、空っぽになっているイエスの墓の前で泣いていると、白衣の御使いが現れる。その白衣の御使いとの短いやりとりのあと、マリアが後ろを振り返ると、そこにひとりの男がいる。彼女は最初、彼がイエスであるとは思わない。しかし、マリアは、「何を泣いているのか。誰を求めているのか」というこの男からの問いに答えた後、その男から「マリアム」と呼びかけられたときに気づいたのだろう。彼女は、「ラブニ（先生）」と応じている。そしてマリアは——聖書には明示的に記述されてはいないがおそらく——イエスにすがりつこうとした。それに対してイエスが言ったのが、「ノリ・メ・タンゲレ」である。「私に触れるな」という意味だ。この命令は、復活のイエスが最初に発した言葉として、キリスト教徒たちの間で重視されてきた。

イエスが言ったことは、偶然にも、今日、ウイルスの感染に苦しむ人間に与えられている、基本的な注意事項と合致している。イエスのマリアへのこの命令を、他の福音書を含むコンテクストの中で、そしてまたイエスの活動の全体の中で解釈し、評価すると、そこから、今後ウイルスとともに生きることになる私たちの、是非とも必要だとされている「新しい生活様式」に関して、ある暗示を得ることができるのだ。まずは、新しい生活様式が目指していることへのポジティヴな展望を、導くことができる。その上で、新しい生活様式への批判、そこに決定的に欠けていることに対する警鐘を導くこともできるのだ。

2　御使いのメッセージ

なぜ、イエスはマリアにこのようなことを言ったのか。この言葉が真に意味していることは何か。この何でもない一言が、福音書の記者に、そしてまた後世のキリスト者たちに、永続的な印象を残したのはどうしてなのか。

イエスのこの言葉を記録しているのは、四福音書の中で、「ヨハネ」だけである。共観福音書と呼ばれる三つの福音書の中には、「ノリ・メ・タンゲレ」は出てこない。では、これに対

＊1　スラヴォイ・ジジェクが、新型コロナのパンデミックに際して緊急出版した小著を、この語を引くことから始めている。Slavoj Žižek, *PANDEMIC! COVID-19 SHAKES THE WORLD*, New York, London: OR Books, p.1

＊2　Noli me tangere はラテン語訳。原典ギリシア語では Mη μου απτου(mē mou haptou)

応する出来事は何か。マルコ、マタイ、ルカのそれぞれ微妙に異なってはいるが、骨格は以下の通りである。マグダラのマリアは、やはり墓に行くが、イエスに会うことはない。イエスの死体は不在だが、もはやイエスはマリアの前に現れない。代わりに、白い服だか、直視できないほどに輝いた服だかを着た男、あるいは天使がいて、マリアにメッセージを伝える。そのメッセージは、「マルコによる福音書」ではこうである。「彼は甦った。ここには居ない。見よ、ここが納められていた場所だ。（中略）彼は、（中略）あなた方を先立ち導いてガリラヤに行く。そこで彼に会えるだろう」（マルコ十六章六節〜七節[*3]、田川建三訳）。

　このメッセージの含意は、こうである。まず、今ここでのイエスの現前が否定される。そうではなくて「ガリラヤ」にいると言われるわけだが、ガリラヤという固有の土地にこだわる必要はない。ガリラヤは、「今ここ」を否定するために導入されている。したがって、このメッセージは、キリストの身体の「今ここで」の現前を否定し、それを「常にすでに別のところで（あそこで）」の存在へと転換しているのだ。それゆえ、ここで、キリストの身体の局在が、その遍在へと変換されている。

　白い服をまとった御使い、または男がこのようなメッセージを伝えたという話が、イエス自身が「ノリ・メ・タンゲレ」と言ったという話に置き換わっていることになる。ということは、二つの話は、交換可能であり、それゆえ等価だということになるのではあるまいか。したがって、「ノリ・メ・タンゲレ」は、こう読むべきである。触れられうる対象という限りでのイエスの身体を否定することが、キリストの身体をより強力な存在へと、つまり遍在へと転換するのだ、と。このキリストの身体の遍在性は、キリストの唱えた隣人愛の普遍性のひとつの表現である。

　このように解釈できるとすると、これは、現在の私たちにとってよい報らせである。これから私たちは、「ノリ・メ・タンゲレ」と常に言われながら生きてゆく。この禁止は、社会関係のほぼ全体を貫く基本的なルールとなる。もし、「ノリ・メ・タンゲレ」に従うことが、普遍的な意味をもつ神の存在を保証するならば、そしてこれが、普遍的な愛の実現をも準備するものであるならば、私たちは、「新しい生活様式」に希望をもつことができる。確かに、私は今ここであなたに触れることはできない。あなたは、「ガリラヤ（どこか別のところ）」にいる。これこそが、私たちの間の愛のひとつの結晶した姿であるとすればどうであろうか。実際、私たちが、十分に物理的な距離をとるのは、触れ合うことが不可能なほどの距離をおくのは、互いに相手を気遣ってのことである。

＊3　細かいことだが、気になる人がいるかもしれないので付け加えておく。「マタイ」では、マリアたちは、墓を去るとすぐにイエスに会い、直前に御使いから伝えられたのとほぼ同じ趣旨のことをイエスから聞く。田川建三によると、これは、マタイがマルコの話を変更したために（マルコではマリアたち女は弟子たちに話を伝えなかったのに、マタイではすぐ話を伝えに行ったことにした）挿入された不自然なエピソードである。以下を参照。田川建三訳著『新約聖書　訳と註1　マルコ福音書／マタイ福音書』作品社、二〇〇八年、八四八頁

3　私の指でもって……

だが、ここで話は終わらない。復活したキリストの最初の一言が「私に触れるな」であることが衝撃的なのは、実のところ、それとは正反対のこと、つまり「（身体に）触れる」ということこそが、イエスの活動の根幹にあるからだ[*4]。

イエスは、神の国というユートピアはもう手に届くところにある、と言う。そのことを実感させるのは、イエスが実行する数々の奇蹟である。奇蹟の中心にあるのは病気の治癒のための活動である。治療のほとんどが、ただイエスが触れること、つまりイエスの身体に触れること、ただそれだけのことによって成し遂げられる。たとえば次のように。

> そして彼のもとに一人の癩病人が来る。彼に頼んで、膝まづき、言う、「もしお望みなら、あなたは私を清めることがおできになります」。彼は怒って、手をさしのべてその男にさわり、言う、「望む。清められよ」。そしてすぐに、癩はその男を離れ、その男は清められた（マルコ一章四十～四十二節、田川建三訳）。

触れること、触れられること、触れ合うことは、イエスの実践の根幹である。そのことを通じて、神の国なるユートピアがすでにほぼ手中にあることを、人は実感する。だから、イエスはこう言う。「もしも私が神の指によって悪霊どもを追い出しているのなら、それなら、神の国はすでにあなた方のもとに到来したのである」（ルカ十一章二十節、田川訳）。「ノリ・メ・タンゲレ」は、こうした背景を前提にして解釈しなくてはならない。

確かに、磔刑死の後の復活に際して、イエスは言う。もはや私に触れる必要はない、触れてはならない、と。触れなくても——というより触れえないことによって——、神の遍在は保証されよう。しかし、それが可能なのは、その前に、触れる体験、触れ合う体験があったからだ。「触れないこと」が絶大な効果を発揮するのは、「触れること」に先立たれ、基礎づけられているからである。すると今度は、私たちは、「新しい生活様式」への批判的な示唆を得ることになる。「ノリ・メ・タンゲレ」だけでは足りない。触れること、近くにあることは、排除することはできないし、排除すべきではない、と。

二　新しい生活様式？　それはディストピアだ

1　「新しい生活様式」というディストピア

新しい生活様式はどんなだろう。私たちはほとんどの時間を家ですごす。仕事はおもにコンピューター上で。ときどき、オンラインのビジネス・ミーティングがある。学校の授業もオンラインである。大学の講義はもちろんだ。公開の講演会やシンポジウムもオンラインだ。映画

＊4　大澤真幸『〈世界史〉の哲学　古代篇』講談社、二〇一一年

だけではなく、コンサートやオペラや芝居もオンラインで見る。フィットネスのためのエクササイズも、自分の部屋で、インストラクターの指示をリモートで受けて行う。食事もデリバリーで、注文もネットから……。

恋愛はどうするのか。恋愛はけっこう難しくなる。好きな人との距離を詰めたいとき、二メートルくらい離れたところから、よく聞こえるように大きな声で告白しなくてはならなくなるのだろうか。それとも、先にメールやラインで告白しておくのか。さらに、セックスはどうするのか。これはかなり危険である。しかし、心配ない……と言う人もいるかもしれない。ポルノサイトに接続して、スクリーンの前でマスターベーションする方がリアルなセックスよりよい、と。

……と想像してみると、これは、希望をもてる世界には見えない。むしろ、ちょっとした近未来ＳＦに出てきそうなディストピアである。もちろん、多くの活動は、オンラインに移し変えられるし、その方が効率がよかったりするだろうし、むしろ高い効果や効用が得られる場合もあるだろう。長時間の通勤は苦痛だし、時間の無駄だ。会議の大半は、オンラインの方がずっと効率がよい。カンファランスや講演だって、オンラインで視聴した方がよい場合もある。学校の授業や講義も、オンラインの方がよいことはたくさんある。しかし、こうしたメリットをすべて考慮に入れてもなお、新しい生活様式、つまり接触に諸悪の根源を見るような世界は、総体としてディストピアである。

とりあえず先に、最も重要なこととして、新しい生活様式は、階級間の搾取と闘争を隠蔽している、ということは指摘しておこう。私たちの多くが新しい生活様式で暮らすことができるということは、多くの人が、この新しい生活様式の中では望ましくないとされる行動をともなう仕事に従事しているからである。宅配業者、スーパーの店員、公共交通機関の労働者、そして介護関係の労働者、何より医療従事者等々。主として、デヴィッド・ハーヴェイが「新しい労働者階級 new working class」と呼んだ人々である。[＊5] 付け加えておけば、現在のコロナ禍において、エッセンシャル・ワーカーとして賞賛された労働者は、この階級に属するわけだが、同時に、目下のウイルスの脅威のもとで、すぐに解雇されてしまった労働者も同じこの階級に属している。ウイルス禍の中で、新しい労働者階級は、一方で持ち上げられ、他方で蔑ろにされた。いずれにせよ、新しい生活様式は、そのような生活が不可能な労働者たちによって可能になっている。

　これら、他者との接触を必要とする労働のいくつかは、やがてそうした接触を回避できるようにAIを搭載した機械などに置き換えられていくだろう。ドローンが宅配し、スーパーのレジ打ちの労働者は不要になるだろう。介護すらもロボットによって行われるかもしれない。このような機械化の多くは歓迎されるだろうが、すべての観点からよいとは言い切れない。とりわけ、機械に置き換えられる労働者にとってよいことなのかは、判断が分かれるところだ。いずれにせよ、すべてを機械に代置することは不可能だ。

＊5　デヴィッド・ハーヴェイ「COVID-19時代の反キャピタリズム運動」『世界』二〇二〇年六月号、岩波書店

ともあれ、ここで述べておきたいことは、新しい生活様式が実現できる階級の者にとってさえも、それは十分によい生とは言えないのではないか、ということだ。実際には、複雑で多様な行為があるとはいえ、コミュニケーションが全体として、身体の非接触を目指しているとき、何か根本的なものが失われるのではないか。そのことを、前章では、新約聖書に記されたイエスの言動から暗示したわけだが、もっと「科学的」な事実を指摘しておこう。

本書収録の対談で、國分功一郎さんが挙げている、チンパンジーの鏡像認知の実験である。國分さんは、「社会性の起原」という私の連載の中で引用している実験を、紹介してくれている[*6]。私自身、國分さんに指摘されるまでこの実験から、目下私たちが目指している非接触型の世界に対する批判的な視点を引き出しうるとは思っていなかった。対談での國分さんの解説と重なる部分もあるが、興味深い論点を含むので紹介しておこう。

2　チンパンジーの鏡像認知

人間は、一般に鏡に映っているのが自分自身の顔であるということを理解できる。人間の赤ちゃんは、だいたい一歳半から二歳にかけての時期に、鏡の中の像が自分自身であるということを完全に理解できるようになる。しかし、ほとんどの動物は、鏡に映っている自分自身の身体をまさに自分自身であるとはわからない。鏡像の自己認知ができる動物は、ごくわずかしかない。そのごくわずかな種の中に、進化の系統上、最も人間に近い種つまりチンパンジーが含まれる。

人間以外の動物が、鏡像を理解できているかは、どうやったら判定できるのか。一般に使われているのは「マークテスト」と呼ばれる方法である。まず、実験対象となっている個体の顔の一部に、その個体に気づかれないように（たとえば眠っている間に）、染料を塗る。その後、その個体の前に鏡を置く。その個体が、鏡に映っている像を見て、すぐに染料がついている自分の顔の部位に触れたとすれば、その個体は鏡像が自分自身であると理解している、と判定される。

ほとんどの動物はこのテストに合格しない。ヒトと大型類人猿を除く霊長類、つまり普通のサルは、マークテストに合格しない。テナガザルやニホンザルは鏡像の自己認知はできないらしい。では、普通の動物は、たとえばサルたちは、鏡に対して無関心なのか。彼らは、鏡像を見てそれをどのように認知しているのか。サルたちは、鏡に映っている自分自身の鏡像を、（同種の）他個体として認知する。このことは、彼らの鏡像に対する反応から明らかである。彼らは、同種の他個体への社会的反応とまったく同じように、鏡像に対するからである。たとえば声をあげて威嚇したり、意識的に目をそらすなど拒否の態度をとったり、リップスマッキングなどで親和性を表現したりする。

考えてみると、この反応、この認知は、極めて自然であり、合理的でさえある。鏡像が何に似ているかを思うとよい。鏡に映っている像は、この私そっくりなのか。そうではない。鏡像に最も似ているのは、他者――同種の他個体――である。私にとっての私の鏡像は、私自身

＊6　大澤真幸「社会性の起源　第五十回　鏡像という他者」『本』二〇一七年二月号

が直接体験しているこの私の身体像――その最も重要な部分を私自身は見ることができない――と少しも似ていない。鏡像を新参の他個体だと認知するのは、極めて自然である。

　しかし、チンパンジーは、鏡像を自己自身の像と同定することができる。三〜四歳のチンパンジーに、等身大の姿が映る鏡を見せる。これは、チンパンジーにとって、生まれて初めての鏡体験である。チンパンジーは、最初、他の動物たちと同様に、鏡像を、他者――他のチンパンジー個体――と見なす。歯をむき出して威嚇したり、手を差し伸べて宥和を求めたりするのだ。実は、人間の赤ちゃんも、最初は、鏡に映っている自分自身を他の赤ちゃんと見なし、微笑みかけたりする。鏡に接してから三日ほど経過すると、チンパンジーの行動が劇的に変化する。社会的な反応が消失し、明らかに鏡像を自分自身の身体像と見なしているとわかる行動をとるようになるのだ。マークテストに合格するのは当然だが、鏡の前で歯に付着している異物を取り除こうとしたり、顔で変な表情を作ってみたり、といったことを繰り返すようになる。

　マークテストを考案したゴードン・G・ギャラップは、さらに手のこんだ実験を行っている。鏡に映っている像は、ほんとうは他個体に似ているのであった。それを、やがて、他個体ではなく自分自身と見なすようになるわけだ。そうだとすると、少なくとも他個体を見たことがある、ということが鏡像認知にとっては、不可欠な条件なのかもしれない。そこで、ギャラップは、赤ちゃんチンパンジーを生後すぐに母親から引き離し、隔離して育ててみた。成長後、このチンパンジーに鏡の実験を試みてみる。すると予想通り、そのチンパンジーは、鏡像の自己認知ができるようにはならなかった。隔離されて育ったチンパンジーは、いくら時間が経っても、鏡に映っている像が自分の姿であると理解するようにはならない。そもそも、隔離されていたチンパンジーは、鏡像そのものにあまり関心を示さない。これも当然だ。このチンパンジーにとっては、鏡像は「他個体」に似ている……ということもないからだ。なにしろ彼または彼女は、他個体なるものを見たことがないのだから。

　さて、ここまでは、まだ準備段階である。今の私たちにとって重要なのは、この後の実験だ。（同種の）他個体を見たことがあるということが、鏡像を自己像として理解するための十分な条件なのだろうか。そこで、ギャラップたちは、生まれてからすぐに隔離されて育てられた一歳半のチンパンジー三個体を、二組に分けてみた。そのうちの二個体は、同じ部屋に同居させた。残りの一個体は別の部屋に入れて——孤立した状態でそのまま——育てられた。ただし、二つの部屋は隣接していて、透明な壁によって隔てられている。つまり、隔離されている一個体のチンパンジーも、他の二個体の様子を眺めることができるのだ。

　一定の期間の後に、これら三個体に対して、マークテストが行われた。一緒に育てられた二個体は、難なくマークテストに合格した。しかし、隔離されていた一個体は、どうしてもテストに合格しなかった。つまり、鏡像の自己認知に成功しなかった。

3　触覚の優越

　これらの実験、とりわけ最後の実験の結果はすこぶる興味深い。鏡に映っている自分の身体をまさに自己の像として理解できるためには、他者の身体を見たことがある、というだけでは足りない。他者と触れ合ったり、じゃれあったり、けんかしたり、といった接触をともなう相互的な働きかけを他者と経験しているということが、鏡像認知が可能になるための不可欠の条件である。他者に身体接触をともなうようなかたちで能動的に働きかけること、同じように他者から能動的に働きかけられること、その働きかけに能動的に応答すること。身体の接触をともなうかたちのこうした交流がなければ、鏡像の自己認知が可能になるほどの能力を獲得することができない。

これはチンパンジーに対する実験だが、おそらく人間も同じである。ヒトに対して、同じような実験を行うことはできないが――今日ではチンパンジーに対してさえもこうした実験は虐待と見なされ禁止されているが――、ヒトにとっても、自己認知やコミュニケーションの基底に、つまりそれらを可能なものにする条件として、直接的な身体の接触をともなう、他者との能動・受動の交流があると考えねばならない。

この鏡像認知の実験を、もう少し理論的にも説明しておこう。鏡像の自己認知は、もちろん、人間にとって、私は何者であるかという私の自己意識の原点である。それはいかにして可能になるのか。鏡像を何度も眺めているうちに、それが「私にそっくりだ」と気づいて、鏡像が自己像だとわかるわけではない。「私にそっくりだ」という基準の「私」こそ、鏡像を通じて知ることになるのだから。

端緒に置かれるべきは、私の鏡像に対する関係ではなく、私Iと他者Oとの間のコミュニカティヴな関係である。私Iは他者Oと交流し、身体の接触をともなうようなかたちで他者Oに働きかけ、また他者から同様に働きかけられ、それに応答する。このとき、当然、私Ｉは他者の身体Ｏを知覚し、また感受する。この私Ｉの他者Ｏへの関係vを次のように表記しておこう。

$$I \xrightarrow{v} O \qquad ①$$

鏡像の自己認知が可能になるということは、どのような条件が成り立っていたことを含意するのか。それは、私Ｉが他者の身体Ｏを見ている（v）、まさにそのとき、同時に、私Ｉは、他者Ｏが私Ｉを見ているのを直観している、ということである。私Ｉは、他者Ｏから私Ｉがどのように見えるかということについての具体的な内容を抜きにして、ただ他者Ｏが私Ｉを見ていることを、私は直覚するのである。私Ｉが他者の身体Ｏを見ているとき、私Ｉは、眼差しが他者Ｏから返ってくるのを直観しているのだ。私Ｉが直観している、他者Ｏから私Ｉへと帰される、無内容な視線を、次のように表記しておこう。

$$I \xleftarrow{v^{-1}} O \qquad ②$$

ここでvとv^{-1}は同時に生起し、同じ経験に根拠をもつ。両者は同じひとつの経験の二側面である。その意味では、

$$v = v^{-1} \quad ③$$

という等式が定義上成り立つと考えてよい。

これらの条件が成り立っていると仮定したとき、鏡像の自己認知が可能であるということが説明できる。なぜか。このとき、私Ｉが（鏡の上に）見ている他者Ｏとそっくりの像Ｉ'（①）は、他者が見ている私の像（②）と同一視されるからだ。その同一視を可能なものにしているのは、③の等式で示されている条件だ。

等式③が意味しているのは、「私Ｉの他者Ｏへの能動的な働きかけ（v）」と「他者Ｏの私Ｉへの能動的な働きかけ（v^{-1}）」は、表裏一体のひとつの関係だということである。ここから、接触、身体の間の接触、つまり触れ合いということが、どうして死活的に重要だったかも明らかになる。触覚においてこそ、③が理想的に成り立っている。私が他者の身体に触れること（v）は、私が他者の身体に触れられること（v^{-1}）でもあるからだ。触れることと触れられることとを分けることはできない。鏡像の自己認知が可能だということは、視覚においても③が成り立っていることを意味しているが、ギャラップの実験は、そのためにはまず触覚において③の関係を経験しておく必要がある、ということを示している。

4　別の道がなくては……

以上から、新しい生活様式がどうしてディストピアなのかが、理論的に説明可能になる。もちろん、人間のコミュニケーションのすべてに、身体的な直接の接触が必要なわけではない。コミュニケーションのほとんどにおいて、そんなものは不要である。しかし、身体的な接触の回避が、すべてのコミュニケーションにおいて目指されるべき状態、すべてのコミュニケーションにおいて可能なかぎり避けられるべき状態として規定されるのだとすれば、そこから出現する社会は、人間的な自然に反するディストピアだと言わざるをえない。接触ということが基本的に禁じられるならば、それは、人間の自己認識とコミュニケーションの前提条件を否定していることになるからだ。つまり、このとき、すべてのコミュニケーションが不毛であると言わざるをえないからだ。

　そうだとすれば、暫定的で移行的な措置としては、互いの間の接触は回避しよう、自分と他人の身体との間に物理的な距離をおこう、互いの間の体液（飛沫）の交換が生じないようにしよう、というキャンペーンはよいことかもしれないが、永続的な社会の常態の中には、この規範は持ち込まれるべきではない。もちろん、必要もないのに、わざわざ会うことはあるまい。在宅勤務でも同じことができるならば、それを続けた方がよい。しかし、会いたいときには会え、触れ合いたいときには触れ合うことができなくては、そんな社会では、生きることの基本的な喜びが得られないだろう。直接会ったり、直接触れ合ったりすることに後ろめたさを感じなくてはならない社会は不幸である。

だが、そうだとすれば、触れ合ったり、ごく近くで大きな声でコミュニケーションをとったりすることが、生命の危険をともなうようなことがないようにしなくてはならない。つまり、こうした危険を除去できる技術がどうしても必要になる。目下の新型コロナウイルスの脅威に関して言えば、ワクチンや効果的な治療薬が開発されれば、それらがまさに、そうした技術だということになる。しかし、新しいウイルスや未知の細菌による感染症の脅威は、今後も常にありうるのだとすればどうか。第二、第三のゴジラが襲ってくるように、第二、第三の新型ウイルスが、繰り返し頻繁に襲ってくるのだとすればどうだろうか。

そうなれば、やはり、私たちは、新しい生活様式を全面的に受け入れて生きるしかないのではあるまいか。「ノリ・メ・タンゲレ」を、私たちの未来の最も基本的なルールとして受け入れるしかないのではあるまいか。

三　監視を超えて

1　もうひとつの選択肢

しかし、もし感染症の発生をごく初期の段階で、つまりわずかな兆候が現れたその瞬間に検知できるのだとしたらどうか。あるいは、感染症が広がり始めたとしても、クラスターや感染経路が常に正確に特定できるのだとしたらどうか。そのような方法があれば、新しい生活様式を律儀に、永続的に遵守する必要はない。「新しい生活様式」的な行動が仮に導入されるとしても、それは、常に、局所的であり、かつ短期的な暫定措置として、で済むだろう。

しかし、そんな都合のよい方法は、そうした方法を可能にする技術はあるのか。ある。少なくともごく近い将来、そうした技術は可能になる。それは何か。

たとえば、現在のコロナ対策に関して、目下のところ、比較的成功している国のことを考えてみよう。（少なくとも最初の感染の波に関して）比較的早く感染を終息させえた国、それほど多くの死者を出さずにすんでいる国のことを考えてみよう。それはなぜか、東アジア、かつての中華文明圏に多い。たとえば中国、韓国、あるいは台湾である。これらの国々の成功の一因――しかも主要な一因――は、デジタル技術、ＩＴ技術の積極的な活用にある。

これらの国が用いた技術の、ほんの少し先に、未来のテクノロジーがある。たとえば、個人情報――とりわけ個人の身体の内的な状態（皮膚の内側）についての情報――を、もちろん位置情報とともに即時に収集し、得られたビッグデータを――深層学習した――ＡＩによって解析できるとする。そうすれば、ひとつの都市の感染症の発生を、ごく初期の兆候段階でも検知できるだろう。また感染経路を正確に特定することができるだろう。いや、それだけではない、今後の感染がいつどのような経路をたどって広がっていくかを、人間による予測よりははるかに高い確率で言い当てられるに違いない。そうすれば、これまでよりもはるかに効果的に対策を打つこともできるだろう。

こうしたことは今や、ありえない夢の技術というほどのものではない。たとえば日本でも、厚労省より、六月十九日からCOCOA（COVID-19 Contact-Confirming Application）がリリースされた。

これもまた、未来の技術への最初の一歩である。

2　監視国家と監視資本主義

しかし、これはこれで、明らかにもうひとつの悪夢、もうひとつのディストピアである。今述べた技術は、個人の行動や身体の状態に対する、徹底した監視を許容することになるからだ。こうした技術を社会的に定着させることは、市民にとっては、プライヴァシーと自由に対するとてつもない脅威となる。

まず、この脅威、つまり監視の脅威は、すでに大きなスケールで始まっている、ということを確認しておきたい。中国が、新型コロナの感染に対してことのほか対処に成功したのは、この国が、「幸福な監視国家」だからである。[*7] たとえば、中国では、街中にはすでに二億台以上の監視カメラがあり、ネットでの書き込みは、アプリ企業を通じて政府に送られる。新型コロナの感染症対策において、デジタル技術の活用が可能であり、かつ国民に許容されたのも、すでにこうした監視網が受け入れられていたからだ。

中国で、とりわけ驚くべき個人監視のシステムは、二〇一五年から導入が始まっている「社会信用システム」である。全国民を所得やキャリアなどでランキングした上で、インターネットや現実の行動を評価し、各個人に社会信用 social credit なる、偏差値のような指数が割り当てられるのだ。この指数が社会生活のさまざまな場面で活用される。たとえば、ある人が融資が受けられるかとか、ローンを組むことができるかは、この十分に高いスコアをもっているかどうかで決まる。社会信用の点数のゆえに、飛行機のチケット、列車のチケットを買うことができない、ということもある。交通違反や税金未納などがスコアを下げるのはもちろんだが、飼犬の排泄物を道路に放置したというようなことも、スコアにネガティヴに影響する。[*8]

＊7　梶谷懐、高口康太『幸福な監視国家・中国』NHK出版、二〇一九年

＊8　中国共産党には「個人档案」なる文書がある。個人档案は、内容的には、ある個人についての一種の——詳細な——履歴書だが、それを書いたり、閲覧したりするのは当人ではない。その個人の、学校での指導教員や職場での上司である。本人は、自分の個人档案に何が書いてあるかを知らない。個人档案をもつのは、すべての国民ではなく、都市戸籍をもつ人であり、とりわけ役人や知識人である。いずれにせよ、これは、ある程度以上の地位をもつすべての個人についての驚くべきデータベースだ。個人档案は、人事のとき、あるいは粛清のときに、使われてきた（文化大革命のときには、個人档案が紅衛兵に漏洩し、「黒五類」などの反革命分子であることの認定根拠とされた）。私の考えでは、社会信用システムは、個人档案の拡張版のようなもの、IT時代の個人档案とも見なしうるものだ。個人档案の直接の歴史的起源は、清朝の制度である（つまり中国共産党は、その制度を意図的に導入した）。さらに、このようなとてつもない制度を受け入れることができた文化的背景には、中国人の「歴史」への独特の感性がある、というのが私の仮説である。中国人にとって、「歴史（正史）」は聖典（バイブル）のようなものだ。このように考えると、「社会信用システム—個人档案」は、「帝国」としての中国の伝統に根ざしていることになる。中国人にとって、「歴史（正史）」は「皇帝」の観念と結びついているからだ。正史は、天命をうけた「皇帝」の地位が正統に継承されていたことを証明する文書である。中国人の歴史感覚については、以下を参照。『THINKING「O」』次号。大澤真幸『〈世界史〉の哲学　東洋篇』講談社、二〇一四年

中国の場合、監視システムは、国家の——共産党の——安全保障部門にコントロールされるかたちで構築されている。私たちは、中国は、非民主的な社会で、また個人の自由をさして尊重しない社会だから、こんなシステムを容易に導入できるのだ、と言いたくなる。しかし、自由で民主的な社会だとされている国、アメリカを含むほとんどの先進国で、実質的には中国と同じ、個人への監視はすでになされている、と言ってよい。ただし、二つの点で中国とは異なっている。まず、監視は、中国のように公然となされているわけではない。また、監視の主体は、今度は、国家ではなく、私企業である。ＧＡＦＡなどの私企業だ。もっとも、これらの私企業は、かなりの程度、国家の（というよりアメリカの）安全保障部門と通じていると考えてよい。

　アメリカを中心とする「自由な」諸国の監視の実態を、ショシャナ・ズボフは、「監視資本主義 surveillance capitalism」という概念を創って、詳細に記述している。[*9] ズボフによれば、現代社会において、知識と権力と権威は監視資本の上にある。ズボフがとくに目を向けている監視資本は、Facebook、Google、Microsoft である。これら監視資本にとって、人間は、そこから利益を得る「自然資源」と変わらない。つまり、かつて資本が自然資源から利益を得たのと同じように、監視資本は、人間（個人情報）から利益を得ている。

　どのように利益を得るのか。つまりどこから剰余価値が生まれるのか。ズボフの議論のポイントはここにある。古典的な資本主義においては、剰余価値は賃労働から発生する。監視資本主義においては、剰余価値が発生する主要な場面が別にある。それは「行動的剰余 behavioral surplus」である。ズボフによれば、私たちは、とりわけインターネット上の行動において、一種の不等価交換に巻き込まれており、自ら「剰余価値」の役割を演じている。どういうことか。私たちは、ネットサーフィンをしたり、買い物をしたり、さまざまな動画を見たりして楽しむ。こうして、私たちは、インターネットで欲しいものを得る。しかし、実はそのとき、私たちは得たもの以上を監視資本に与えてしまっている。私たちは、このとき個人情報を明け渡しているのだ。その行動から、私たちがどんな生活をしているのか、何を好んでいるのか、等々が、監視資本に知られてしまうのだ。私たちは、いわば裸にされているのだ。私たちが、ネットで得たものの価値より、私たちが与えた個人情報の方がはるかに価値が高い。ここで剰余価値が生じている。

監視資本主義の逆説は、私たちが自分が最も自由だと思っているまさにそのとき、客観的には私たちの自由が最も奪われている、という事実のうちにある。私たちは、普通、自由が奪われているとき、被拘束感や被抑圧感を得る。ところが、監視資本主義の下ではそうではない。自由の（主観的な）行使と自由の（客観的な）剥奪とが合致しているのだ。この問題については、四章でも論ずることになる。

このように、私たちは、新型コロナの出現より前にすでに、十分に強力な監視のシステムを構築してきている。現在すでに有しているこうしたデジタル技術を少しばかり発展させれば、ウイルスの感染の広がりに対して極めてタフな社会が構築できそうにも見える。少なくとも、

＊9　Shoshana Zuboff, *The Age of Surveillance Capitalism: The Fight for a Human Future at the New Frontier of Power*, New York: Public Affairs, 2019.

都市のロックダウンやら、外出の厳しい自粛やらを長期間、全地球的な規模で行う必要がない社会ができそうにも見える。実際、そうした技術の定着を、ポストコロナの時代のひとつの選択肢としよう、という提案が、ニューヨーク州知事アンドリュー・クオモとGoogleの元CEOエリック・シュミットによってなされている。[*10] The Intercept でナオミ・クラインは、これを"Screen New Deal"と名付けて、厳しく批判している。[*11] 批判の趣旨は、ズボフの「監視資本主義」論に近い。

3　監視を拒否できるか

「新しい生活様式」の常態化は、ディストピアだ。そして、これを回避する技術は早晩準備できる。しかし、その技術が普及した社会がもうひとつのディストピアになる。そうだとすると、私たちはどうすればよいのか。

　この後者のディストピアは、すでに監視資本主義のようなかたちで、私たちが気づかないところでおおむね実現してしまっている、と述べてきた。この事実に加えて、さらに考慮すべきことが二つある。

　第一に、「自由か安全か」という選択を迫られたとき、結局、私たちは、安全の方をとってしまうだろう。命の危険があっても自由をとる、という人は少ない。まして、あなたが自由の方を選んだときには、あなたの命だけではなく、他人の命をも危険にさらすことになる、とされたとき、なお自由に執着できるだろうか。

　第二に、デイヴィッド・ライアンが「監視文化」と呼んでいることを考慮に入れる必要がある。[*12] ライアンがこの語を用いて示唆していることは、現代人は監視されることを必ずしも拒否しておらず、むしろ望んでさえいる、ということだ。ライアンの念頭にあるのは、「露出症指向」のリアリティ番組やSNSが交錯する場所である。人は、自分の私的な生活を他者に覗かれること、監視されることを楽しんでいるのだ。かつて、ミシェル・フーコーが、近代的な権力を描こうとして『監視と処罰』を書いたとき、前提になっていたのは、監視を恐れる主体、できることなら監視から逃れたいと欲している主体、自分は監視されているのではないかと絶えず不安になる主体であった。しかし、今日、人は、自分が誰からも見られていないかもしれないということを恐れ、不安に感じている。つまり、監視は望まれているのである。

そうだとすれば、現在の、あるいは将来のウイルスへの対策として、監視を強化しようとする制度や技術が導入されたとき、それを最後まで拒否し続けることは難しいだろう。つまり、我々の社会は、監視の強化を受け入れてしまうだろう。

---

*10　以下の記事を参照。https://www.washingtonpost.com/education/2020/05/06/cuomo-questions-why-school-buildings-still-exist-says-new-york-will-work-with-bill-gates-reimagine-education/

*11　Naomi Klein, "Screen New Deal," The Intercept. https://theintercept.com/2020/05/08/andrew-cuomo-eric-schmidt-coronavirus-tech-shock-doctrine/

*12　デイヴィッド・ライアン『監視文化の誕生　社会に監視される時代から、ひとびとが進んで監視する時代へ』田畑暁生訳、青土社、二〇一九年

4　IT時代のモニタリング民主主義

それならば、どうすればよいのか。個人の私生活や行動の細部にまでいたる監視は、まして身体の内部状態にまで——当人が知らない当人の個人情報にいたるまで——監視の目が届くのだとすれば、それは、自由にとっての脅威である。これにどう対応すればよいのか。

こういうときになすべきは、逃避ではない。遍在する監視を拒否し、そこから逃れようとしても、今述べたように、敗北は不可避である。こういうときになすべきは、監視をめぐる闘争に積極的に参加することによる対抗である。監視が自由にとって危険なのは、二つの事情があるからだ。第一に、監視で得られる情報が——国家であれ一部の私企業であれ——独占的に制御されていること。第二に、私たちが与えた個人情報が、私たちが望んではいなかった領域にまで活用されていること。したがって、監視をめぐる闘争の主題は二つある。誰がその情報を制御しているのか。そして、情報が適切に使われているのか。

ここで、ジョン・キーンが『デモクラシーの生と死』で論じていることがヒントを与えてくれる[*13]。これは、デモクラシーの包括的な歴史を記した大著である。この本の中で、キーンは、三つの独立した民主主義がある、としている。三つの間には系譜関係はなく、それぞれ独自の歴史をもっているのだ。第一は、「集会民主主義」。これは、普通は直接民主主義と呼ばれているものだ。キーンによれば、これは最も普通にどこにでもある民主主義である。少なくとも、民主主義のこの類型に関して言えば、とりたてて西洋的なところはまったくない。つまりアテネの民主主義を、民主主義の原点のように言い立てるのは、誤りだということになる。第二に、「代表民主主義」。これは間接民主主義と呼ばれているものに合致する。現在では、世界中のほとんどの国で、この民主主義は採用されている。しかし、この類型は、集会民主主義とは異なり、もともとは世界中のどこにでもあった、というわけではない。その起源は、確かに西ヨーロッパにある。ただし、よく言われるイングランドではない。最も古い代表民主主義は、十二世紀のアラビア半島に見ることができる。

一般には、民主主義とはこの二種類である。しかしキーンはこれらに加えて、もうひとつ民主主義があったという。この民主主義の第三の類型こそ、ここでの考察にとって意味がある。第三の民主主義を彼は、「モニタリング民主主義」という造語で呼んでいる。これは何を指しているのか。たとえばオンブズマン制度は、この民主主義の一形態である。モニタリング民主主義とは、市民が政治権力の動きを不断にモニターする、という意味である。モニタリング民主主義は、前の二つの古典的な民主主義よりはずっと新しい。とはいえ、つい最近生まれた、というわけではない。キーンによれば、モニタリング民主主義は、二十世紀の中頃誕生した。最も古い例は、独立直後のインドに見られるという。

結論を言えば、個人への監視が強化されることは避けがたいとして、それに対しては、一種のモニタリング民主主義で対抗すべきである。モニタリング民主主義のＩＴ版で、である。

＊13　ジョン・キーン『デモクラシーの生と死（上・下）』森本醇訳、みすず書房、二〇一三年

先に、政府のセキュリティ部門やＧＡＦＡなどの監視資本が個人を監視している、と述べた。しかし、考えてみれば、ＩＴ技術等によって監視し、情報を収集する能力をもったのは、政府や大企業だけではない。誰かが、私たちの個人情報についてのビッグデータを集めうるということは、現在の技術のもとでは、データを囲い込み、秘密にすることの方が難しい、ということを示している。このことは、私たちの個人情報だけではなく、政府が有する情報、企業がもつ情報についても同じように言えるはずだ。

モニタリング民主主義のＩＴ版ということについての具体的なイメージを与えるとすれば、それは、スノーデンやウィキリークス（アサンジ）がやったことである。彼らは非合法的なことをやったとして国から逃亡せざるをえなくなっているが、むしろ、彼らはモニタリング民主主義の英雄である。つまり、スノーデンやウィキリークスの活動を合法的な市民運動として許容すれば、これが、そのままＩＴ時代のモニタリング民主主義の実践例になるのだ。

このような意味でのモニタリング民主主義があれば、個人情報のデータベースを、政府や企業が悪用したり、本来の目的とは関係のないかたちで活用しようとしたりしたとき、すぐにそれを発見することができる。つまり、個人情報への監視が、私たちの自由にとって脅威になりそうなとき、それを見出し、排除することができる。監視に対しては、もうひとつの監視こそが最大の武器である。

四　神的暴力の現代的活用

1　暴力批判論

前章では、監視に対するモニタリングの必要性を、プラクティカルな観点から説明した。それを、社会哲学的な概念を用いて正当化してみよう。なぜ、そんなことをしなければならないのか。私たちが現在体験していることの普遍的な意味を把握するためである。

新型コロナウイルスの感染症の蔓延を受けて、「新しい生活様式」ということが唱えられている。私たちがこのことで学習したことは、こんな小学校の「学級会の『きまり』みたいなもの」[*14]で尽くされるのだろうか。この地球上の何億、何十億もの人が、何ヶ月も日常の活動を停止するという衝撃の出来事を通じて私たちが感じ、考えたことを集約させると、こんな幼いことになるのか。そうではあるまい。私たちがこの体験を通じて得た衝撃にみあったことを、知的に理解するためには、その体験の広がりや深さに匹敵する普遍的概念によって、ことがらを把握しなくてはならない。「新しい生活様式」に対抗策として述べてきたことの意味を、その最大限の深さと広さによって捉える、哲学的な概念が必要だ。

先に結論を暗示しておこう。前章で述べたことの意味は、ヴァルター・ベンヤミンがおよそ百年前に書いた『暴力批判論』の概念によってトータルに把握することができる。[*15]もちろんベンヤミンは、新型コロナウイルスのことも、インターネットのこともまったく知らないわけだ

---

*14　大塚英志「感染拡大せず『日本スゴイ』…80年前と重なる嫌な流れ」（朝日新聞デジタル、二〇二〇年六月二十日）https://digital.asahi.com/articles/ASN6N54S3N6HUPQJ006.html

が、しかし、ベンヤミンが案出した概念が、目下私たちが経験していること、これから経験しうることを記述するのに役立つのだ。別の言い方をすることもできる。つまり、現在の危機を媒介にすることで、ベンヤミンが何を言おうとしていたのかを明快に示すことができる、と。

『暴力批判論』でベンヤミンは、二種類の暴力 Gewalt がある、とする。それぞれは、神話的暴力と神的暴力と呼ばれる。神話的暴力は、さらに二つに分類できる。神話的暴力の第一の類型は、法維持的暴力であり、第二の類型は、法措定的暴力である。法を維持する暴力については、警察が行使する暴力のことを思えばよい。法を措定する暴力とは、たとえば革命のときの憲法制定権力だ。憲法がまだ成立する前の力の行使なので、合法的なものとは言えず、それは暴力として現れる。

このように、神話的暴力については、それほど理解は難しくはない。問題は、神的暴力 Göttliche Gewalt である。法維持的暴力とは異なることはもちろんだが、法措定的暴力からも区別された神的暴力とは何か。この神的暴力の概念こそが、前章で述べた、モニタリング民主主義の意味を、その可能性の最大限の広がりと深さにおいて把握することを可能にする。

2　社会契約と市場交換

さて、出発点に置くべきは、代表民主主義——キーンの民主主義の第二のタイプ——についての普通の、つまり伝統的で自由主義的な——あるいは社会契約論的な——観念である。代表民主主義において、市民を代表する政治家の権力はどのように正当化されているのか。

まず、市民たちは、それぞれ自分の権力の一部を、国家に移譲する。この移譲された権力こそが、代表者たる政治家の権力になるわけだが、市民から国家へのこの権力の移譲は、厳密に限定された意味あいにおいてでなくてはならない。すなわち、国家の権力は法によって拘束されている（法の支配）。権力行使の方法についても、その条件が厳密に制限されていて、国家は無際限に自由に行使できるわけではない。こうした限定は、主権の究極の源泉は、人民（市民の集合体）にある、というアイデアに基づいている。原理的には、市民はいつでも、自らの意志に基づいて、国家の権力を拒否し、廃棄することができる。これは、市民と国家の間の社会契約だが、この契約は、非対称的であることに注意しなくてはならない。市民の方が優位にあり、市民が命令し、国家がその命令に従うことを約束する、という形式になっているのだ。

ここで留意しておいてよいことがある。今述べたような、社会契約的な「市民から国家への権力の（限定的な）移譲」は、市場交換の論理とまったく同じ形式をとっている。市場において、私たちは、自分の欲するものを、欲する量だけ買う。欲しくなければ、買わない。買った商品の価値にみあうだけの価格を、私たちは貨幣によって支払う。これによって、私たちは、市場における権力（購買力）を、商品の生産者や提供者に譲渡したことになる。

この常識的な社会契約モデルを前提におけば、現代の監視社会の監視、監視資本主義の監視が、どのような意味で不当かが、すぐに説明できる。監視資本であれ、国家の公安部門であれ、

＊15　ヴァルター・ベンヤミン『暴力批判論　他十篇』野村修編訳、岩波書店、一九九四年

それらは、私たちが譲渡したもの以上をとっているのである。代表制の社会契約モデルでは、述べたように、移譲される権力は、厳密に限定されている。しかし、私たちのネットでの行動が記録され、特定の企業や機関によってその個人情報が蒐集されたとき、私たちは、この契約によって与えることを許容していた分を超えて、相手に奪われていることになる。これが、先ほど述べた「行動的剰余の搾取」である。

3　民主主義から全体主義へ

ここまでは、常識の範囲だが、今述べたような逸脱、監視社会への逸脱は、民主主義――代表民主主義――そのものに内在する、その本質に由来している、ということを理解することが極めて重要である。どういうことか、説明しよう。

民主主義――それは大規模なときには代表制の形態をとらざるをえないのだが――は、必然的に――ヘーゲル的に言えば――疎外を前提にしている。政治家――彼は代表者として人民から権力の一部を委託されていると想定されているわけだが――は、実はこの疎外を前提にしなくては、権力を行使できない。ここで疎外とは、人民の意志と代表者との間に必ず乖離が生じている、という事実を指している。代表者は、人民の意志や欲望を代表することになっているわけだが、人民の側は必ず、自らの意志や欲望は、政治において「(十分に)代表されていない」という感覚をもたざるをえない。政治権力の行使を通じて表明されていることは、自分たちの意志していたこと、欲していたこととは異なっている、と思わざるをえないのだ。これが、疎外ということである。

民主主義から全体主義が発生する原因は、まさにこの疎外にある。今述べたような疎外があるとき、つまり代表するものと代表されるもの（人民）との間に乖離があるとき、とりわけその乖離が大きいとき、その乖離を埋める者として――厳密には乖離を埋めると想定されている者として――登場するのが、全体主義的な指導者である。指導者は、人民たちの「私たちは代表されていない」という思いそのものを代表する。言い換えれば、人民たちが、自らが代表されていないというフラストレーションをもっているとき、そのフラストレーションが十分に大きいとき、そのフラストレーションは裏返しにされて、全体主義的な指導者という形式で具体化されるのである。

指導者は、人民の「代表されていない」という否定的な感覚から生じている以上、逆に、人民の意志を直接に体現する者として現れ、そのような者として想定される。もともとの社会契約の設定では、政治家は、人民の意志を、常に間接的で限定的に代表していた。しかし、全体主義の指導者は、人民の意志を直接に具現する。つまり指導者は、直接的に、人民が客観的には何であるか、ほんとうは何を欲しているのか、人民の客観的で真実のアイデンティティを現前させている（と人民自身によって想定される）。

これによって、人民の疎外は克服されるのか。そうではない。疎外はむしろ二重化され、深刻なものになる。どうしてか。今述べた機制から指導者が出現するとすれば、指導者は、定義上、「人民」を完全に透明に表現している。このとき「人民」は、現実の人民、経験的な人々の集合としての〈人民〉ではなく、実は理念的な実体と化している。いずれにせよ、指導者こそ――たとえば共産主義体制では党こそ――が、「人民」である。全体主義以前の民主主義においては、人民はいくらでも、代表者や政治家を批判し、それに対して不満を言うことができた。「お前は我々人民の意志を代表していない」と。しかし、全体主義的な指導者に対しては、それが不可能だ。なぜなら、指導者こそが真の「人民」を具現している（ことになっている）以上は、指導者に対して、人民の意志との乖離ということを言うことはできないからだ。もし仮に、経験的な〈人民〉が不満を覚えたとしても、今や間違っているのは、〈人民〉の方であって、指導者ではない。〈人民〉が、ほんとうの客観的な自分自身――「人民」――を誤認しているがゆえに、不満を感じているのだ（とされる）。

　全体主義においては、それゆえ、疎外が二重になっている。最初は、代表者と人民との間の乖離に基づく疎外があった。しかし、全体主義においては、その疎外は、人民の方に折り返されている。つまり、疎外は今や、人民の人民に対する疎外、経験的な〈人民〉と理念的な――客観的な現実とされた――「人民」との間の乖離という形式をとる。ちなみに、権威主義的な支配と全体主義との概念上の相違は、この疎外概念をもとに説明することができる。第一の疎外に立脚して構成された支配体制が権威主義である。人民は、権威主義的な権力から疎外されている。それに対して、疎外が二重化され、最終的に人民の人民からの疎外へと転化したときに、つまり疎外が人民の内的な分裂として生じたときに生まれるのが、全体主義である。

4 監視資本の全体主義

さて、今日の監視社会、とりわけ監視資本主義のもとで起きていることは、論理の構成の上では、今述べてきた全体主義とまったく同じである。このことに気づくことが重要だ。

私たちは、ネットで好きなものを見たり、欲しいものを買ったりする。まったく自由に行動しているつもりでいる。しかし、同時に、ほんとうに欲しいものはこれではないと思うだろう。インターネットの中を移動し、またときどきSNSで情報を発信したりしても、なおフラストレーションは残るだろう。しかし、やがて、検索したりすると、「欲しかったものはまさにこれなんだ」「探していたものはこれだ」と思えるようなものがヒットするようになる。あるいは、そうした思いに導かれてネットの中を移動していくと、まさに欲しいものが広告されたり、推薦されたりしているサイトに到達する。どうしてそうなるのか、というと、私たちの個人情報の統計的な分析に基づいた誘導がなされているからである。

監視資本は、私たちそれぞれの個人情報をビッグデータの中に置き、AIによって、厳密に統計的に、そうした個人的属性をもつ者が欲するであろうものを予想する。この予想を受け取ることで、私たち消費者は、自分が客観的には何を欲していたのか、客観的には実は何者だったのかを知ることになる。こうした連関は、全体主義的な指導者を通じて、人民が、自分の客観的な真実を知ることになる過程とまったく同じ形式をたどっている。いや、古典的な全体主義よりもなお、前節に記した論理に忠実に、こうした過程が現実化したものが、監視資本主義である。それゆえ、監視資本主義のもとで——全体主義のもとでそうであったのと同様に——私たちは二重に疎外されている、と考えなくてはならない。

5　人民は知らない／消費者は知らない

民主主義は全体主義的な支配に対して、あるいは市場交換は監視資本の支配に対して脆弱である。つまり、そのような転化が生じうる内在的な原因が、民主主義や市場の方に備わっている。実のところ、その脆弱さの真実を知るためには、ここまでの説明であえてわかりやすさのために簡略にしたところを修正しなくてはならない。ここまで、人民は自分が何を欲しているのか、自分の意志は何なのか、自分が何者なのか、自分でわかっているかのように説明してきた。しかし、ほんとうはそうではない。人民には、自分の欲望や意志についての十分な自覚がない。人民は自分が何者で、ほんとうは何を欲しているのかを、自分でもわかってはいないのだ。厳密に言えば、自分が何を欲していないかはわかるが、積極的に何を欲しているかを明晰に自覚できてはいない。人民は、自身の欲望や意志を、否定的なかたちでは理解しているが、積極的・肯定的には把握してはいない。

人民は、自分たちを透明に表現している——かのように見えている——指導者を通じて、初めて、自分の欲望や意志を自覚する。つまり人民は、「指導者」という外的視点を媒介にして——精神分析で言うところの（そのような視点への）転移を通じて——、そして指導者に告知されるという形式で、自分の欲望を自覚し、人民としてのアイデンティティを得るのだ。マルクス主義の用語

（即自的階級／対自的階級）を使えば、人民は、もともと即自的な状態にあるわけだが、指導者という外的視点を媒介にして、自身を対自化する。指導者は、人民がほんとうは何を求めているかを教え、人民はそれを受け入れる、というわけである。指導者に透明に具現されるということがなければ、人民は人民になることもできないというところに、民主主義が全体主義へと転化しやすい原因がある。そして、人民にとって、ある意味で、指導者が必要だ、ということにもなる。

　監視資本主義の下でも同様である。消費者は、ほんとうは、自分が何を欲しているのかよくわかってはいない。欲しいものはないと思ってはいるが、何を欲しているかを知らない。個人情報の緻密な分析を通じて、「あなたがほんとうに欲しいもの」を提示されたことで、消費者は初めて、自身の真の欲望を自覚する――自覚したつもりになるのだ。監視資本主義において、消費者が、あの二重の疎外を自覚できない理由もここにある。消費者は、まさに自身の自由の積極的な行使という自己了解のもとで、二重に疎外されることになる。

　指導者の口を通じて、人民は、自分の欲望や意志や、あるいは自身の歴史的な使命とかを自覚する……ということになっている。あるいは、監視資本の推薦（いわゆるナッジ）や誘導を通じて、消費者である私たちは、自分の欲望を知る……ということになる。しかし、指導者が告知することが、経験的な〈人民〉の真の欲望や意志だったかはわからない。監視資本が勧めていることが、経験的な〈消費者〉が真に欲望していたものなのかはわからない。

　いや、むしろ厳密には、人民や消費者がそれへと転移していた指導者や監視資本を通じて宣言されたとき、それが、人民や消費者自身にとって「私が欲していたこと」になる、というメカニズムである。指導者による告知から独立に、その告知に先立って、「人民」という単一の実体が単独の意志や欲望をもっているわけではない。監視資本による推薦に先立って、消費者が、整合的で明晰な意志や欲望をもっているわけではない。経験的な、それ自体としての〈人民〉の意志やアイデンティティは本来的に不確定である。同様に、それ自体としての経験的な〈消費者〉の意志やアイデンティティは、本来的に不確定であり、偶有的である。「人民」を具現する指導者を通じて、「消費者」の個人情報を消費者本人よりも詳しく知っている監視資本を通じて、「人民」や「消費者」は、単一の意志をもった主体となる。

6　神的暴力の現代的活用

ここまで準備してようやく神的暴力とは何かを説明することができる。まず、原点には、民主主義にはある種の過剰がある。全体主義の原因にもなりうる「過剰」が、である。ここで「過剰」と呼んでいるのは、先に「疎外」と呼んだものの言い換えである。人民と代表の間の乖離は、〈人民〉（の欲すること）の代表に対する過剰として現れるからである。述べてきたように、この過剰は全体主義（的な指導者）へと向かいうるわけだが、逆に、この過剰を、全体主義に向かうことを抑止する力、それとは反対の方向にもっていく力がありうるし、なければならない。それこそが、神的暴力である。

〈人民〉の意志というのは何か固定したものとして存在しているわけではなく、解消できない不確定性や偶有性をもつ。その不確定性・偶有性は、「不断に更新される」という方法でしか満たされない。全体主義に至らないようにするためには、通常の民主主義的な政治の中で満たされていない過剰性に本来的に属している不確定性・偶有性そのものを代表する力が必要だ。その力こそが神的暴力である。神的暴力というのは、あらたな権力や法を措定するというより、つねに権力の場所を更新する能力である。民主主義のもっている内在的な欠陥は、全体主義へと向かうベクトルと、神的暴力へ向かうベクトルと、その両方を誘発する。両者は、同じところに原因をもっている。

監視資本主義と全体主義との類比的な関係から、前章で述べたモニタリング民主主義は、この神的暴力を現実化するためのひとつの方法である、と解釈することができる。政府の公安部門とか、あるいは監視資本とかが、私たちそれぞれの個人情報を過剰に利用して、私たちが何者であるかを確定しようとする。そのような力に抵抗し、具体的には私たちの個人情報が転用されたり乱用されたりすることに抵抗し、私たちの本来的な不確定性や偶有性を守っているのが、モニタリング民主主義である。監視資本がインターネットを活用するのならば、モニタリング民主主義もまたインターネットを活用するハッカーである。その活動は、サイバースペース上での神的暴力の行使である。

コロナ後の――あるいはコロナとともにある――世界を民主的で自由なものにするためには、ここに述べたような意味でのモニタリング民主主義が合法化され、擁護され、積極的に支援されていなくてはならない。それは、この社会の神的暴力を導入することである。その神的暴力が、ポストコロナの世界がディストピアへと転ずるのを防ぐだろう。

対談

國分功一郎＋大澤真幸

哲学者からの警鐘

――例外状態、国家権力、死者の権利

法と「法の外部」の境界線、
人間の社会と自然の境界線、
そこに立たされている。

國分功一郎＝一九七四年生まれ。東京大学大学院総合文化研究科・教養学部准教授。主な著書に『暇と退屈の倫理学』（朝日出版社、二〇一一年、紀伊國屋じんぶん大賞受賞／増補版は太田出版、二〇一五年）、『民主主義を直感するために』（晶文社、二〇一六年）、『中動態の世界――意志と責任の考古学』（医学書院、二〇一七年、第十六回小林秀雄賞受賞）『原子力時代における哲学』（晶文社、二〇一九年）などがある。

大澤　現在、新型コロナウイルス（COVID-19）の感染拡大によって、日本を含む世界が未曾有の危機に晒されています。この危機を前にして、人は感染症対策や健康のことだけではなく、それ以上のことを感じ、考えていると思います。私たちの存在の仕方そのものを根本から揺るがされているような気持ちになっているのです。私たちはこれでよいのか。私たちはこれによって変わるのか。変わるべきなのか。どう変わるべきなのか。こうした問いに答えられないとしたら、学問や思想など、何のためにあるのでしょうか。とりわけ、人文系の知に関して、そう思います。実際、この事態を受けて、ユヴァル・ノア・ハラリ、スラヴォイ・ジジェク、ジュディス・バトラーといった各国の哲学者・思想家たちが各々の立場から発言を行っています。

さて、本日は、二段階に分けて対談を進めます。前半では、とにかくまずは予想もしていなかったこの事態を受けて、社会や人間のあり方について、今、どんなことを考えているか、議論ができれば、と思っております。國分功一郎さんは、スピノザをはじめとする西洋の哲学を研究するとともに、常に、アクチュアルに、現実の問題とも格闘されてこられましたから、私としても、ぜひご意見をうかがいたいと思っておりました。

先ほど、ヨーロッパやアメリカの哲学者・思想家が何人も発言しているということを申しましたが、後半では、その中のひとり、ジョルジオ・アガンベンが述べていることを手掛かりにしながら、議論を深めていきたいと思います。アガンベンは、現役で活動している哲学者の中では、最も重要な者のひとりです。そのジョルジオ・アガンベンが「II

Manifesto」紙に発表した短い論考「根拠薄弱な緊急事態によって引き起こされた例外状態」が、かなりの応答と批判を呼びました。一見、この論考は、よく事態を理解していない老人の勇み足的な文章に思えるし――実際、私も賛成しているわけではないのですが――、しかし、よく考えると、これまでのアガンベンの研究からまっすぐに導かれるような重い問題提起を含んでいます。だからこそ、この短い論考が過剰とも言える反応を他の思想家たちにもたらしたわけです。そんなわけで、僕はそのやりとりをネットで読みながら注目していたのですが、國分さんも同様のテーマに言及されているのを知りました。今回、対談をお願いした理由のひとつでもあります。國分さんは、EAA（東京大学東アジア藝文書院）オンラインワークショップ「感染症の哲学」[*1]でパネリストを務められ、「新型コロナウィルスと哲学者たちCovid-19 and philosophers」を発表されています。

ともかく、アガンベンのことは、後ほどていねいに話していただくとして、まずは、コロナがもたらした状況について、それぞれの立場から自由に意見交換することから始めましょう。

コロナ禍は「世界共和国」への第一歩？

大澤　今、僕らは、どこに出口があるかわからないトンネルを走っているという感覚だと思うのです。ところで、僕はよいか悪いかは別として、現在起きていることによって世界が変わってしまうような予感をもっています。世間では、「いつトンネルを抜けるのか」という話が繰り返し出ているじゃありませんか。そのとき、たいてい、「いつもとの生活に戻れるの？」という問いがセットになっている。つまり、トンネルを抜けた後、概ねもとの生活がある、という前提があります。しかし、僕は、トンネルを抜けたときに僕らが見る世界は、もとの世界ではない気がします。どう違うかは難しいですが、ものすごくポジティヴになるかネガティヴになるというのが、僕の感覚です。

　もう少し付け加えておくと、今、確かに、もととは違う生活になる、という話も出ています。「新しい日常」とか「新しい生活様式」とか、とも言われているわけです。しかし、そういうときに念頭にあるのは、僕らの外形的な行動のことです。テレワークが増えるとか、マスクをつけるとか、隣の人との物理的距離を広くとるとか、居酒屋で大騒ぎする回数が減るとか、といった。しかし、僕が予感している変化というのは、そういう表面に直接に現れる行動の様式のことではなく、そうした行動の前提になっている僕らの感覚や価値観の変容です。少し慎重に言い換えると、二種類の極端な可能性が考えられそうです。一方では、コロナ前からあった現在までのトレンドがそのまま続くかもしれない。しかし、その場合は、そのトレンドがすごく加速され極端化するので、それはそ

＊1　EAAオンラインワークショップ「感染症の哲学」（二〇二〇年四月二十二日）https://www.eaa.c.u-tokyo.ac.jp/ja/2020/04/30/2717/

れで、大きな変化というレベルになるような気がします。他方では、現在までのトレンドの正反対の歩みが始まる、という可能性です。その両極であって、中間はないような気がします。ただ、どちらにせよ、トンネルを抜けた瞬間には、一見、前と似たような世界にいるかのような錯覚をもつのではないか、と思うのです。

比喩的に言うと、村上春樹の『１Ｑ８４』のようなイメージです。冒頭のシーンで、主人公のひとり青豆が首都高の非常階段を降りると、一九八四年から１Ｑ８４の世界に入ってしまう。一見、もとの世界と全然変わらないように見えるけど、実は別の世界で、もとの世界とは別の原理が支配しているという話。同じように私たちの世界も、コロナ後は、これまでと似ているけれど根本的にモードの違う世界になっている可能性が高い。そのあたりの感覚はいかがですか？

國分　まず、僕がショックを受けたのは、「疫学的」なものの見方が当たり前であるかのような雰囲気で世の中が進んでいることです。これは、今後の世界観とも関わってくると思いました。疫学的なものの見方は、非常に非人間的な見方です。一人ひとりの人間を単なる駒と見なして、駒同士が会わないようにする、症状が悪化したら隔離することを原則とする。ウイルスの生存戦略としては劇症化せず、いろいろな人に伝播していく方がいいわけですが、だからこそ、劇症化した場合は隔離してウイルスの伝播をストップしなければいけないという話があります。この考え方も、重症になってしまった人を駒としか見ていないんですよね。

みんな平然とそういう話をしているけど、僕はこの見方にショックを受けています。疫学的なものの見方が全般化して、コロナ禍が終わっても続くことに危機感を覚えています。それはフーコーからアガンベンへと継承されている「生政治（bio-politics）」*2の話ともつながってきますね。後半の討論の中で生きてくることかと思います。

大澤　ところで、最初に僕の心構えといいますか、発言のパフォーマティヴな意味のようなことについて話しておきます。僕らは、いわば「学知」の立場から客観的に社会を観察したり、記述したり、説明したりするわけですが、同時に、その対象となる社会に内在してもいる。内在しているわけだから、観察や記述の対象となっている社会に変化をも与えているので、純粋な客観性のようなものはそもそも成り立たない。僕は、とりわけ未来について語るときには、客観的に見てどちらが成り立ちそうか、ということよりも、たとえ僅かであっても、対象である社会の内部からの言明は、その社会に変化や歪みを与えている、ということの方を重視して言うことにしています。

現在のコロナ危機との関係で言えば、悲観的でネガティヴな予想の方が多いし、当たるか外れるかというようなことで言えば、その方が当たる確率が高いことは僕だってわか

---

*2　ミシェル・フーコーが『監獄の誕生』などで提起した概念。フーコーは、近代以降、政治権力が「生」そのものを管理するようになり、出生や死亡率の管理、公衆衛生などによって、市民を統制するようになったと考えた。詳細は本書九十五ページ参照

っています。あるいは、こういうことがあっても、基本的なトレンドは変わらないだろうというような予想はかんたんで、ある意味で当たるに決まっているわけですが、そんな予想をしても仕方がない気がします。それよりも、僕は、結果的には大きな流れの中で消えてしまうかもしれない、ポジティヴな萌芽のようなものをあえて誇張して言うことに意味を感じます。後で「お前の希望的な観測は外れた」とシニカルな人に言われるに決まっているけれども、あえて、消えてしまうかもしれないポジティヴな萌芽について今、言ったり、書いたりしておくことに意味がある。というのも、それを記録しておけば、仮にいったんは裏切られるかもしれませんが、それでもずっと先の将来世代の人に拾われ、救われ、受け継がれるかもしれないからです。そのときになって初めて、希望的な観測がほんのわずか当たり、救われることになるのです。しかし、僕らが今、それを言って記録しておかなくては、その希望を実現する将来世代も現れません。将来世代は、僕らの見果てぬ夢を救出するという形式でのみ、その希望を実現できるからです。

これまでも、僕は、大きな出来事との関係で、けっこう、いろいろなことを発言したり、書いたりしてきました。オウム事件のときも、9・11のときも、3・11のときも、です。そのすべてに関して、今述べたような態度でやってきたつもりです。

さて、今回の危機の特徴は、圧倒的なグローバリティです。今、いくつか列挙したような今までの災害や紛争は、常にローカルでした。それがもつ意味は、人類全体に関係するとも言えるわけですが、しかし、出来事の震源がはっきりとあり、問題のさしあたっての解決もその場所でなされる。たとえば、9・11も、ニューヨークとアフガニスタンが震源です。3・11もそう。一番酷い状態が、局所的に現れ、そして時間的にも瞬間的に終わるわけです。しかし今回の危機はそうはならない。たとえば運よく東京の感染者数が減ったとしても、ニューヨークで感染拡大が続いていたら問題の解決にはならない。東京にとってさえも、解決とは言えない。自分のところだけが解決しても解決にはならない、という構造があります。この事実から、僕だけじゃなく誰しも当たり前のように思うことがあります。ある意味で、これ以上はっきりと、人間が地球的レベルで連帯しないとやっていけない状況はないのだ、と。どんなに考えの足りない人でも、自分の国だけでは解決できない、自分の国だけの解決はナンセンスだということを教訓として得たことは大きい。

そういう意味で、僕はこの危機こそは、「世界共和国への最初の一歩」になりうる、とあえて言っています。二〇二〇年のパンデミック、そしてポストパンデミックは、世界共和国へ向かう最初の一歩となる。そうならなければ、人類は、この種の危機——とりあえずは新しい感染症の脅威——に対して、極めてヴァルネラブル（脆弱）な状況を決して乗り越えられないでしょう。後から——たとえば二十一世紀の終わりから——振り返ったとき、二〇二〇年は、世界共和国への最初の一歩を踏み出した年だった、と思われるような状況にならなければ、人類の未来は破滅的です。

ここで重要なことは、あえて「世界共和国」とまで言ってしまうことです。今回のパンデミックに関して、国際的な連帯とか協調が必要だ、ということは、誰でも言っています。僕のポイントは、国民国家の主権を超えるような連帯でなくてはならない、ということです。さもなければ、連帯や協調が無力化してしまう。現在の国連やＷＨＯのような国際機関を見ていればわかります。これらは協調のための機関なのに、国民国家が主権をもつような世界では、つまり現在のような世界では、こうした機関そのものが、国民国家の闘争の場になってしまう。だから、国民国家が主権を放棄した上で形成される連帯という意味で、あえて世界共和国と言っているわけです。

國分　よくわかります。大澤さんはそれを予見としてではなく、提案として書かれたんですよね。

ユヴァル・ノア・ハラリもそうですよね。[3] ジャン＝リュック・ナンシーもある記事で言っています。[4] 分離されているからこそ、人々がもっている共同性（コミュニティ）を強く感じられると。災難はこれまではローカルで起こっていたけれど、今回は世界レベルだからまったく立ち行かないというのも理解できます。ただ、僕は今のところポジティヴな提案をする気にはなかなかなれないんです。

新型コロナウイルスに対する紋切り型の批判のひとつに、「ウイルスは差別しない（Virus does not discriminate.）」という言い方があります。ジュディス・バトラーもそう書いていました。[5] 一方で、僕の先生のエティエンヌ・バリバールは「リスクを前にしても、それを払いのけるやり方にしても、人々はまったく平等ではない[6]」と言っています。

去年の年末に南アフリカに行ったんですが、その貧困地域は想像を絶するような状態でした。掘っ建て小屋が地平線まで並んでいた。隔離する方法もないから、あそこでコロナウイルスが流行ったら一発でやられます。フランスでは、ホームレスの人は手を洗うことができないというニュースもありました。だから新型コロナウイルスによって、今ある格差が強烈な仕方で露出される強い可能性があります。

自国ファーストでは乗り越えられないことは間違いない。それは大澤さんのおっしゃる「世界共和国への一歩」かもしれない。けれども、それを人が体感するためにはまだものすごく時間がかかるだろうというのが僕の実感しているところなんです。

ただ、もしかすると経済的な打撃は人々にそれを否応なく体感させるかもしれません。つい最近、原油の先物取引価格がマイナスになるという衝撃的なニュースもありました。

＊3　〈インタビュー〉ユヴァル・ノア・ハラリ「ここが政治の分かれ道　新型コロナ」（朝日新聞デジタル、二〇二〇年四月十五日）https://www.asahi.com/articles/DA3S14441734.html／ETV特集「緊急対談パンデミックが変える世界　ユヴァル・ノア・ハラリとの60分」（NHK・Eテレ、二〇二〇年四月二十五日放送）を参照

＊4　ジャン゠リュック・ナンシー「共同ウイルス」（Liberation、二〇二〇年三月二十四日）以下、記事・書誌の詳細は「対談をより深く理解するための文献・ブックリスト」（本書一二〇頁）を参照

＊5　ジュディス・バトラー「資本主義の限界」（Verso、二〇二〇年三月三〇日）

＊6　エティエンヌ・バリバール「私たちは危機に直面したときも、それから身を守るときも平等ではない」（Le Monde、二〇二〇年四月二十二日）

これは強烈な打撃です。とはいえ、僕自身は「世界共和国」まではイメージできずにいるんです。

無意識化の革命

大澤　おっしゃることはよくわかります。それに先ほども暗示しましたが、僕も、今回のことで皆が「世界共和国」の理想に目覚めて、その実現のために努力する、と思うほど楽天的にはなれません。ただ、そのたびに、「これしかない」というような手を打っていくと、気がついたら、私たちの社会の最も基本的な原則――たとえば地球は主権をもつ国民国家の集合だという原則――が否定されてしまう、というようなことが起こるのではないか。いや起こるべきではないか、ということです。

今、経済に関係する話が出たので、そちらの方向から問題に迫っていきましょうか。どんな政府も、この問題に対してギリギリの手を打ち続ける必要がある。そうしていく中で、気がついたら世界がすっかり変わってしまったということもあるかもしれない。

二〇〇八年のリーマンショックのときを思い出してほしいのです。あのときなされたことは、ゼネラル・モーターズ（GM）のような大企業や銀行への多額の公的資金の投入です。批判がありましたが、そうするしかなかった。そのとき、僕は思いました。あれほどの公的資金によって倒産を免れたということになると、大企業や銀行は、ある意味で、国有化されたに等しいわけです。国有化は、しかし、社会主義体制のやり方ではないですか。つまり、とっくに冷戦が終わり、資本主義は事実上ひとり勝ちしていたのですが、その資本主義が延命するために、社会主義的な手法を使わざるをえなかった、というアイロニーがありました。つまり、苦肉のやり方は、資本主義のライバルだった社会主義体制の手法だった、というわけです。

今回は、それ以上のことが起きる可能性が高い。たとえば、今回、日本政府は国民の一人ひとりに十万円を配布します。今、世界中の政府が似たようなことをやっている——やらざるをえないわけです。他国は、たいてい、「十万円」より金額が大きいですが、それでも、日本政府としては、思い切った大盤振る舞いとして、十万円を給付するのだと思います。しかしどう考えたって、一回の十万円で済むはずがない。きっと、同じような給付を何回も、かなり長期間継続せざるをえなくなるでしょう。

そうすると、どうなるか。実質的にはＢＩ（ベーシックインカム）に近いものになると思います。ＢＩは、それ自体としては、それほど奇抜なアイデアではありませんが、そこに含意されているアイデアは、よく考えると、資本主義の基本的な原則に反しています。ＢＩ的なアイデアをさらに徹底させていくとどうなるか。すると、「能力に応じて貢献し、必要に応じてとる」ということになります。これこそ、コミュニズムのスローガンです。つまり、今回の危機を資本主義が乗り越えようとすると、意図せざるかたちで、コミュニズム的な手法をとらざるをえなくなるわけです。

安倍政権が左派的だから、コミュニズム的というか、ＢＩに近い手法を思いつくわけではありません。どれほど右寄りの政権であったとしても、生き延びようとしたら、つまり正統性を維持しようとしたら、そうせざるをえない。多くの人が無収入になり、コロナ危機が終わっても、観光産業などをはじめとして、今後しばらく稼げなくなる仕事がたくさんあるからです。こうした状況をただ放置していたら、その政権は、完全に支持を失ってしまう。政権が生き延びようとしたら、ＢＩに近いことをやらざるをえないでしょう。そうすると、資本主義の基本的なルールが否定されることになるでしょう。つまり、危機に対応していたら、いつのまにか最も基本的なルールを変えてしまうわけです。気づいたら「無意識の革命」が起きていた、ということがあるかもしれない。

國分　大澤さんのおっしゃった「気づいたら」というのが大事ですね。意識は存在の後についてきて、いわば「弁証法的」に歴史が進む。その最中には行き先はわからないけど、気がついたら変革が起こっているというロジックはよくわかります。

「気づいたら」ということは、副産物として生じるということですよね。ヤン・エルスターというちょっと変わった思想家がいて、彼に「本質的に副産物であるような状態」[*7]という面白い概念があるんですが、副産物としてしか生じないものがあって、それは目指していては手に入らないと言うんです。たとえば陪審員制度は市民の法意識を高めることに結果として貢献するけれども、「市民の法意識を高めよう」という理由で陪審員制度を運用しているのではこの目的は達成できない。変革にも似たところがあると思います。

大澤　この状況に手を打つことが、ポジティヴに考えれば「無意識の世界同時革命」につながるかもしれません。理論上、一国革命は成功しません。ロシア革命もしかりで、ときに一国革命が起きますが、周囲が敵対する限り、革命としては必ず失敗するんです。

アントニオ・ネグリとマイケル・ハートは「マルチチュード[*8]が革命をする」と言っていますが、それも難しいですね。マルチチュードは、世界中にいる有象無象のことです。世界中にいても、互いに連携しているわけではありませんから、常に、局所的な反抗にしかならない。ネグリやハートの支持者ははっきり認めないかもしれませんが、9・11テロとか、二〇一五年のパリの同時多発テロは、マルチチュードの行動の典型だと言わざるをえない。それらは、一瞬、世界を震え上がらせますが、革命にはならない。成功する革命は、世界同時革命しかありえない。ウイルスへの対応は、無意識の世界同時革命になるかもしれません。

國分　あまりに巨大な問題に関わっているがゆえに最近では直接には論じられることの少なかった「世界」とか「自然」といった概念が、にわかに切迫性を増してきているように思います。その点では僕は「自然」という概念がとても気になっています。「ウイルスは

＊7　エルスターは、『酸っぱい葡萄　合理性の転覆について』などにおいて、この概念を論じている

＊8　ネグリとハートは『〈帝国〉グローバル化の世界秩序とマルチチュードの可能性』、『マルチチュード（上・下）』の二つの著書において、「マルチチュード」という概念を提唱した

世界を浄化しようとしている」というエコロジー的な視点からの主張もありました。比喩として『風の谷のナウシカ』を例に挙げる人までいました。自然のサイクルの中で考えたときに、これはひとつの必然性をもっているという主張です。僕はそういう主張にはとても賛同はできなくて、自然界という人智を超えたものに人が無理やり意味を見出そうとしていると思わざるをえない。

　けれども僕も、ちょうどカントがそうしたように、自然が人間に課してきたものの順番に意味を見てしまうところはどうしてもあって、それがエイズとコロナの順番なんです。ＨＩＶの前に新型コロナウイルスが来ていたとしてもおかしくなかった。けれども、実際の順番は我々の知る通りであって、ＨＩＶによって我々はまず性的接触に関して非常に厳しい制約を課され、その次に、今度は新型コロナウイルスによって対面で話をすることにまで制限を課されることとなった。ＨＩＶが知られるようになった頃、完全に安全なセックスなどないから「セーフセックス」ではなくて「セーファーセックス」と言うべきだという話がありましたが、今度は完全に安全な対面での対話などないから「セーフトーク」ではなくて「セーファートーク」、あるいは「セーファーヒューマンリレーションズ」などと言わなければならなくなるかもしれない。

　もちろん、自然破壊がこれまで人に触れることのなかったウイルスを人間界にもたらしているという指摘は重要で、このコロナ禍を純粋に自然の出来事と見なすことはできませんが、しかし自然がもっていた恐るべき力の前に我々が改めて立たされているとは言えると思います。自然界のもたらした順序に人間的な意味を見てしまうのは確かにおかしいのだけれども、どうしてもそこに必然性を見てしまうということはある。

大澤　その、エイズから現在のコロナへの展開についての指摘はおもしろいですね。ただし、基本的な立場として、ある種のエコロジストのように「自然が罰を下してる」という解釈はしない方がいいと僕は思っています。ウイルスに倫理性がないし、「コロナが人間を罰している」と考えるべきではないでしょう。起きていることは、いかなる意味ももたない極めてフィジカルな現象です。僕らは起きていることの因果関係自体を、正確に捉える必要があるだけです。

　いずれにせよ、「セーファーセックス」から「セーファートーク」へという順序になっている、ということは興味深いことです。それで思い出したのは、斎藤環さんの「コロナ・ピューリタニズムの懸念」という note の記事です。そこでも、エイズと今回のコロナとの関係が論じられている。エイズの場合、性的接触による体液（エアロゾル）の交換が問題だった。今回は、飛沫感染が問題になっている。より微細な体液が、です。今回のことで、性的接触はもちろんのこと、実は人間の交流というのは、最小限の体液の交換をともなっていた、ということにあらためて僕らは気づくわけです。体液の交換を悪いことであるかのように禁止することは、人間の関係そのものの禁止になってしまうのです。斎藤さんは、そういう意味での「ピューリタニズム」、そのような禁欲の、本末転倒的な問題性を指摘されています。

國分　これまでも人間は対面で話をしながら、体液、細菌、ウイルスを交換していたんですよね。そして、それによって負けてしまう人は端的に死んでいた。つまり、対面する人間関係がもたらす戦いを経て、一人ひとりの人間がこの世界に順応していくという過程があった。動物はいろいろな菌やウイルスをもっているから、子どもを動物園に連れて行くといいとか、昔の子どもは一度ぐらいは肥溜めに落ちたことがあったからカゼをあまりひかなかったとかいった話も同じ原理ですよね。これは非常に残酷な自然の真理です。順応できなければ死んでしまうわけですから。でも、今我々は、この自然の残酷な真理を意識せざるをえなくなっている。

　けれども他方で、これを自然の摂理の問題として片付けることはもちろんできない。先程述べたように、資本主義による自然支配がこれまで人間に触れることのなかったウイルスを人間界にもたらしたのだとすればこれは人災ですし、そもそも、自然の摂理によって人間の生死を捉えることは極めて危険な発想であって、近代の思想はそれを乗り越えてきたはずです。

　すると、自然の摂理という発想を単純に認めることはできないけれども、だからと言って、自然の恐るべき力を前にして単に人間のこれまでの所業を戒めるようなことを言えばいいわけでもない。つまり自然を単純に肯定も否定もできない。だから今起こっている事態にポジティヴな側面を見出すことも倫理的に問題があるように思われ、たとえばジジェクは、「消費社会の外部が垣間見えた」[*9]というようなことを書いているんですけど、そういうことを言ってしまっていいのか疑問が残る。

「弁証法」という言葉をとてもよく思い出します。否定的で残酷な事態が新しい局面を引き出す、しかも人間が気づかぬうちに……そういう意味での弁証法です。僕らは自然の弁証法と世界の弁証法の間にいて、その二つに振り回されているのかもしれない。だとすると、それについて語ることは非常に難しい。弁証法的な事態についてあらかじめ語ることはできないし、それについて語ると倫理的におかしなことになる。「哲学的」にコロナ禍について論じようとしても、そういう難しさがあると思うのです。どういう視点から話をしたらいいのかずっとわからずに来ているというのが僕の正直な気持ちです。弁証法の残酷さに口を封じられている感じがします。でも、そうすると根本的な指針を立てられずに、対処療法だけを行うことにもなりかねなくて、それはそれで危ない気もする。

副産物としての真実

大澤　ドイツ観念論っぽい概念が出てきたので、カントの「理性の公的使用[*10]」という概念を

＊9　スラヴォイ・ジジェク「コロナ禍に顕在化した人種差別主義者の要素」（RT、二〇二〇年二月二日）

用いながら考えてみましょう。いまほど、「理性の公的使用」が必要なときはありません。読者のために少し解説めいたことを入れておくと、カントによれば、思考が自由なのは、理性を公的に使用するときだけです。ただこの「公的」というのが、僕らが普通にこの語を使っているときとは違う――ほとんど正反対の――意味になるわけですね。たとえば、僕らは、役人を「公人」とか呼んで、役人が政府でその職務に関連したことを考えることこそ公的だと思いますが、カント的には、それは、むしろ理性の私的使用に属する。自分の国の私的利害に縛られているからです。理性の公的使用というのは、いかなる特定の共同体にも縛られない世界市民としての思考です。

さて、今このコロナ危機の中で起こっていることを現実的に考えると、世界共和国どころか未曾有の分断、今まで以上に各国のエゴイスティックなナショナリズムが剥き出しになるという展開が起こりそうです。人は、特に政治家は、理性を思いっきり私的に使用している。

理性の私的な利害への埋没をなんとか乗り越え、公的な方へと少しでも引きつけるためには、ある程度グローバルに信頼されたアクターが、自国の利益だけのために行動しているわけではない、という姿勢を示すことです。戦後はずっとアメリカがおおむねこの役割を担い、リーダーシップをとってきました。もちろん、カントを厳格に受け取れば、アメリカの態度など、理性の公的使用からははるかに遠いということにはなりますが、それでも、ないよりはずっとましです。感染症対策ということに関しても、エイズ、エボラ出血熱[*11]のとき、リーダー的な役割を果たしたのはアメリカでした。あるいは、リーマンショックのときもそうです。しかし今回は、違う。まったく逆に、アメリカが一番自国ファーストでした。理性の私的使用に徹底的に開き直っている。アメリカは、伝統的に最も深い友好関係をもつヨーロッパとですら、なんの通知もなく一方的に渡航を制限し、協力するつもりはないと最初から示してしまった。ここまですると、コロナ後にアメリカを頼る国は日本とイスラエルだけになるんじゃないでしょうか。アメリカを触媒にして国際的な協調関係を築き、その先に、世界共和国への展望を開く可能性は著しく低くなります。

　国際的な協調の立場を示しているのは、むしろ中国の方です。「マスク外交」等によって、協調を前面に出していて、アメリカとは対照的です。とはいえ中国の場合、どんなに一見利他的にふるまっても、それは、「自国ファースト」の一貫としてアメリカより賢くやっているだけとしか思われていません。コロナ後の覇権のために、そうしているだけです。理性を公的に使用しているかのように見せる、私的な使用、ということです。それを考

＊10　カントは「啓蒙とは何か」（岩波文庫、光文社古典新訳文庫などに収録）において、理性の私的使用と公的使用を分けて論じている

＊11　エボラ出血熱は、一九七六年に現在の南スーダン、コンゴ民主共和国ではじめて発生した。近年でいえば、二〇一四年以降に西アフリカで感染が拡大するなど、今なお完全な封じ込めには成功していない

えれば悲観的な気持ちになるのは当たり前です。

現在、我々が直面している深刻な問題、たとえばCO^2の排出量の問題、核の問題、格差の問題、どれをとっても国民国家のエゴイズムだけでは解決できない。むしろ、国民国家に準拠して理性を私的に使用すればするほど、問題は深刻になっていく。そのことは、皆わかってもいるけれども、理性の私的使用を徹底させ、公的な使用から離れていく。そうなるのは、長期的な視野にたった真の解決と短期的な視野にたったそれぞれの私的主体の利害との間に乖離があるからでしょう。端的に言えば、それらの問題から生ずる破局は、ずっと先のこと……だと思われているからです。たとえばCO^2の問題。温暖化による深刻な困難は、地球的なレベルで国際協力でしか解決できないことは明らかですが、ほんとうの破局がくるまでに少し余裕があると思われている。そのとき、パリ協定から抜けた方が、自国にとって有利だ、ということになるわけです。

ついでに付け加えておくと、これは、「予測の悲劇」とでも言いましょうか、そんなタイトルで知られている逆説に結びついている。それは、どんなに高い確率で予想されている破局であっても、一〇〇％ではない場合には――ほんのわずかでも破局が到来しない可能性が残っていれば――、人は、その破局を回避するために努力することはできない、という逆説です。民主主義のもとでのリーダーは、とりわけこの逆説に弱い。どうしてかというと、破局を回避するために、さまざまな苦痛をともなう対策をとったとしても、誰にも賞賛されないからです。結局、破局が訪れなかったとき、それが、対策のおかげなのか、それとも何もしなくてもそんな破局は来なかったのか、どちらか区別がつかないからです。破局が来なかったとき、たとえば地球温暖化が避けられたとき、もともと「CO^2削減のためにあんなに無理する必要はなかったんじゃないか」と言われて、かえって不評をかったり、批判されたりするわけです。

ところが今回は違う。もう破局はやってきているのです。僕らは、破局の長いトンネルの中にもういる。確かに、今起きていることを見ていると、「理性の公的使用」からも、世界共和国への歩みからも遠いと思わざるをえませんが、同時に、人の思考を、公的使用から私的使用の方へと退行させる最大の要因、つまり「破局はまだ来ていない」とか「破局は来ないかもしれない」という楽観の余地がない。このことを考えれば、世界共和国への歩みが始まるのだ、という希望をもちうる、言ってみれば論理的な理由のようなものがある、とも思うわけです。

國分　弁証法的には転換の前に否定的なことが起こるわけだし、少し意味は違いますがカントも『世界市民的見地における一般史の構想』[*12]の中で、人類が最終段階に到達する直前には「極悪の状態」を経験すると言っています。我々は大きな弁証法的展開の前の悲惨な出来事に直面しているのかもしれません。

ただカントに即することで少なくとも言えると思うのは、公開性の重要性がこれまで

＊12　イマヌエル・カント『啓蒙とは何か　他四篇』（岩波文庫）に掲載

以上に再認識されたのではないかということです。確かに、コロナ禍は中央集権的な独裁体制の方が事態にうまく対応できるのではないかという疑念を人々に抱かせました。けれども、中国政府の出している数字が正しいかは疑われているし、トルコに被害が拡大していないように見えるのは政府が隠蔽しているからだとも言われており、その中で、今こそ「理性の公共的使用」あるいは「デモクラティックな公共性」、さらにはその前提となる「公開性」がものすごく重要になってきているし、そのことも理解されつつある。

近代の立憲民主主義は公開性をその基本原理としています。もちろん、公開性が完全に達成されることはありえない。民主主義であろうともどうしてもいくつかの秘密が残ります。たとえば外交交渉の中身をすべて即座に明らかにするとか、人事に関する議論の詳細をその場で公開するということはできないでしょう。しかし、にもかかわらず何事をも公開せねばならないという緊張感の中で統治が行われなければならない。そのことの意味が理解されつつあるのではないか。

大澤　賛成です。僕らは、少し前よりも、たとえば二十世紀末よりも、情報を収集する能力という点では、圧倒的になりました。しかし、ある種の情報は公開性をともなわなければ無意味だということがよくわかった気がします。たとえば、どこかで感染症の兆候があるということを知る技術はあったとしても、その情報が秘匿されていたら意味がない。

もう一度繰り返すと、「意図せざる結果」の原理が軸になって世の中ができているという話がありました。

意図せざる結果は、副産物として手に入るわけですが、副産物だからといって甘く見てはいけない場合もあります。副産物なので、ほんとうに求めていたものとは違う、と考えたくなりますが、そうではなく、真に欲していたもの、そうとは自覚せずに真に欲していたものは、実は、メインの産物ではなく副産物の方だった、ということが、後から――副産物が得られてしまってから――わかる、ということがあります。たとえば、こんてケースで考えたらどうでしょう。子どもが、お母さんに、いろんなものを求めるとする。「あれが欲しい、これが欲しい」「あれを買って、これを買って」と。あれやこれを買い与えると、子どもはすぐに飽きてしまい、また別のものを欲しがる。なんてわがままな子だろうと、お母さんは思ったりする。ところが、あるときからお母さんが子どもの話をゆっくり聞くようになるとか、子どもをしっかり抱きしめてあげるようになると、子どものわがままな要求が止んでしまう。子どもがほんとうに欲していたものは、ほんとうはお母さんの愛情だったのです。あれやこれを買って欲しいと要求しているとき、子どもは、お母さんの自分への愛情に不安を抱いていて、お母さんの愛情を試していたのです。

　ここで、肝心なことは、子どもの真の欲望は、何かを買い与えるという行為によって問接的に示されるお母さんの愛情の方にあった、ということが後からわかる、ということです。子ども自身も、意識的に、そんな戦略で行動していたわけではない。子ども自身も、自分がほんとうに欲しているのは「お母さんがボクに関心を向けてくれること」なのだとは気づかず、ほんとうに、「あれ」や「これ」を欲しいのだと思っているのです（それなのに、「あれ」「これ」を与えられてもフラストレーションが残って、自分でも苛立っていたわけですが)。後になって、自分が無意識のうちに真に欲していたものを理解する。

　同じようなことが現実でも起こるのではないでしょうか。僕らは現状では、休業して潰れそうな店舗への保障とか、応急処置的な対策を考えなくてはいけません。そうしているうちに、非常に分厚いＢＩのほどこされた、ある種のコミュニズム的な社会ができたとします。そうしたときに、本当に求めていたのはこういう社会だったのだ、と思うかもしれない。コロナ前の社会では、いかに僕らが脆弱で、そこそこの店に見えていても、一ヶ月営業を停止しただけで破産してしまうような、自転車操業状態だったかが、今わかったんですよね。本当は、そんなふうにあくせくしないでいい社会に生きたいのではないでしょうか。しかし、初めからコミュニズムを求めていたら実現しません。資本主義的な設定の中で必要なものを満たしていく、その先に副産物として得られるコミュニズム的な社会があったとして、そのとき、実は、真に欲していたものはこれだったんだ、と理解する、ということになるかもしれません。

　マルクスの即自的階級[*13]と対自的階級[*14]のようなものです。階級意識が「即自的 an sich」な状況では、マルチチュード的なプロレタリアートは、無我夢中で、ただ散発的に怒りを爆発させるだけです。しかし、その無意識の行動の中で「真に求められているものは何か」を的確に見極めるということも必要です。

國分　今のお話を伺いながら、「倫理的に見たとき、今回の事態についてどう言ったらよいかわからない」と言ってきた自分は、もしかしたら単に世論におびえていただけじゃないかという気がしてきました。実を言うと、夜の八時ぐらいには店がすべて閉まって暗くなっている街を見たとき、どこか痛快な気持ちがあったんです。これでいいじゃないか、なぜ夜遅くまで働かなければならないのか、って。震災のときにも僕の友人に、「震災による被害は確かに気になるけど、仕事のペースは今の方がいい」と言った人がいて、すごく頷いたことがありました。コロナ以前の社会への早急の復帰が望まれているけれども、本当に僕らはそれを望んでいるのだろうか。もしかしたら、僕らはこの危機の中で自分たちが欲望するものを見つけているのではないだろうか。僕もそれに飲み込まれていたように、それを言い出しにくい雰囲気があるだけではないか。そんな気がしてきました。

いま大澤さんが挙げられた即自的階級／対自的階級というマルクス主義的概念から、僕はもうひとつ別のマルクス主義的概念を思い出します。レーニンが言った「階級意識の外部注入」という概念です。資本主義の外を知らない人は、資本主義の外を求められない、

*13　資本に対して賃労働を行なうことによって生計を立てている人々によって構成された階級。この段階の階級は、自らの階級的地位や階級的利害について自覚した階級ではない

*14　階級が他に対する利害の対立を意識し、組織のもとに団結して階級闘争を行うようになる。こうした階級的自覚に達した階級のこと

だから階級意識を外部から注入して資本主義の外を欲望する仕方を教えなければならないというのが、この概念の言わんとするところです。もちろん実にボルシェヴィキ的なこの概念をそのまま受け入れることはできません。けれども、資本主義の外を知らなければ、資本主義の外を求めることはできないという認識には真実がある。ファストフードしか食べたことがなかったら、味わい深いが故にゆっくりと食する必要のある食事を求めることはできません。その意味で、僕らはこの危機の中で、消費社会や資本主義の外を発見しつつあると言えるかもしれない。ウイルスがもたらしたこの災禍によって、そのような視線を外部注入されているのかもしれない。これぐらいのことは恐れをなさずに言わなければなりませんね。

アガンベンの問題提起と炎上

大澤　さて、ここからはアガンベンの論考「根拠薄弱な緊急事態によって引き起こされた例外状態」をもとに、話を展開していきたいと思います。

國分さんは、アガンベンの発言に興味をもっているんでしたよね。今回、コロナについて海外の思想家たちが書いたものを読んでいたら、アガンベンの発言が批判の対象になっているのを知りました。いい意味でも悪い意味でも、アガンベンだからこそ論争になるんだと思いました。彼が、現役で活躍するヨーロッパの哲学者のなかで、最も深い思考を展開しているひとりだからでしょう。

まずは、アガンベンの発言について、國分さんのお考えを含めて聞いてみたいです。

國分　僕はアガンベンのことを専門的に研究しているわけではないんですが、大変僭越ながら、彼は自分の問題意識にとても近いことを考えているという感覚があって、このところはずっと彼の思想を追っているんです。それは基本的なところでどこか保守的だということかもしれません。『中動態の世界』もアガンベンに強い影響を受けています。そうした問題意識の交差があったからこそ、世界の思想家たちによる数あるコロナ関連の発言の中でも、特に彼の発言が気になったのだと思います。

そのことを特に世の中に発表する気もなかったんですが、先日、ＥＡＡが開催する「感染症の哲学」というオンラインのワークショップに声をかけていただき、発言の機会をいただきました。ならば、ということで、韓国、香港、東京の学者がオンライン上で集まって議論をする場だったんですが、そこでアガンベンのコロナ関連論考について発表をしました。

まずは時系列を追って説明いたします。二月二十六日に、アガンベンが「Il Manifesto」紙に、いま大澤さんが言及された「根拠薄弱な緊急事態によって引き起こされた例外状態」という短い論考を寄稿しました。いわゆる「炎上」を起こしたのはこの論考です。

当時、イタリア国立衛生研究所は、ウイルスに感染しても集中治療を受けなければいけないのはわずか四％だからたいしたことはないと言っていた。それにもかかわらず、政府はさまざまな自由に制限をかけ、甚大な権利侵害が行われている。かつては権利侵害の口実として使われていたテロリズムが利用できなくなった今、権利侵害の口実として「伝染病の発明（invention of epidemic）」が行われたのだ。——これが概ね彼の述べたところです。

そしてこれが多くの批判を呼ぶことになりました。僕の友人の哲学研究者もこぞってアガンベンを叩いていました。「アガンベンは文献学だけやってればいいんだ」とか、散々な言いようでしたね。特に批判されたのは「伝染病の発明」という部分です。確かに伝染病が権利制限の口実に使われているというのはわかるとしても、発明というのは言い過ぎではないかと思われたのでしょう。

著名哲学者からの反論としては、この次の日、二十七日に即座に発表されたジャン＝リュック・ナンシーのそれ[15]がありましたが、「君が言っていることは間違っている。インフルエンザと違って、コロナにはワクチンがないんだから」「私が心臓手術を医者から勧められたときに、君はそのような勧めは聞き入れるべきではないと言っていたが、君の助言を受け入れていたら僕は今生きていないのであって、つまり人は間違うことがあるのだ」とか、ごくありきたりの反論で、正直なところガッカリしました。アガンベンにはまったく届かなかったでしょう。実際、彼は当初の主張を撤回する様子は少しも見せませんでした。

三月十七日には「clarification（補足説明[16]）」と題された、まさしく補足説明となる論考が発表されます。アガンベンの主張は書くたびにどんどん明確になっていったのですが、特にこの二つ目の論考が重要なものであったと思います。彼はここで自らの主張の論点をまとめあげ、「死者の権利」と「移動の自由」の二つを強調しています。

今、死者たちが葬式もなされぬままに埋葬されている。人々はそれを受け入れ、驚くべきことに教会ですらそれについて何も言わない。しかし、死者が埋葬の権利をもたない社会、死者の権利を踏みにじる社会において、倫理や政治はどうなってしまうのか。そもそも、生存だけを価値として認める社会とはいったいどんな社会であろうか。――アガンベンはこう問いました。

また数ある自由の中でアガンベンは移動の自由の重要性を強調しました。過去にも深刻な伝染病はあった。にもかかわらず、それを理由にして移動の自由すら奪う緊急事態宣言を行うなど誰も考えなかった。これは戦争中ですら行われなかったことだ、と。

四月十五日には、さらに「Question（問い）[*17]」という文章を発表しています。ここでは論点はさらに整理され、彼が問題だと思う論点に番号が振られているのですが、そこでも一番目に死者の権利、二番目に移動の自由が挙げられています。彼の力点がこの二つにあることは間違いありません。

僕はこの二点がコロナ禍を考える上で極めて重要な論点だと思っています。死者の権

---

*15　ジャン゠リュック・ナンシー「共同ウイルス」（Liberation、二〇二〇年三月二十四日）
*16　ジョルジオ・アガンベン「補足説明」（Quodlibet、二〇二〇年三月十七日）
*17　ジョルジオ・アガンベン「問い」（Quodlibet、二〇二〇年四月十五日）

利を蔑ろにすることは、アガンベンの言う通り、生存だけを至上の価値とすることです。もちろん、生存は大切であり、命は大切です。そのことを絶対に忘れてはならない。しかし生者中心主義のようなものがでてきたら、生きている者たちの社会もおかしくなってしまうのではないかとアガンベンは問うているわけです。

「死者の権利」という考え方、この言葉は非常にインパクトがあると思います。とはいえ、我々は実際にはそのようなものを認めて社会を運営してきた。つまり、これまでに死んでいった人たちの歴史の重みが、今の生者の社会や法や倫理を支えている。たとえば、法の従うということそのものを支えている法意識のようなもの、法に対する敬意と言ってもいいと思いますが、そうしたものは結局、これまで法が守られてきたという歴史に支えられた感覚でしかありません。身の回りを探してもその根拠はどこにもない。そしてその感覚は我々が死者の権利を認め、それに敬意を払っているからこそ生まれるものではないでしょうか。死者の権利を忘れたとき、我々はペラッペラの現在しかない生を生きることになる。

「生存だけを価値として認める社会」というアガンベンの言葉を目にしたとき、哲学・思想に関心のある人なら、アガンベンの言う「剥き出しの生[*18]」を思い浮かべるはずです。もちろん、今回の彼の発言からさかのぼってこの概念を検討することも必要でしょう。ただ、まずはそのような概念に頼ることなく、素直にこの論考を読んで彼の問いかけを受け止めることが必要だと思います。実際、日本でも志村けんさんが亡くなったとき、親族が遺体にも会えなかったことが問題になりました。アガンベンの問いかけは、当然のことながら、イタリアにとどまる問題ではありません。

もうひとつ、数ある自由の中で、彼が移動の自由[19]の重要性を強調していることは大変印象的でしたし、やはりわかっている人だなと思ったんです。思想の自由や言論の自由、職業選択の自由など、近代社会がこれまでに確立してきたさまざまな自由はいずれも貴重なものです。しかし、自由がどれだけ蹂躙されようとも、そこから逃げる自由さえあれば、なんとかなる。逃げることができれば、別のところで自由を回復できる。つまり移動の自由は、原−自由とでも呼ぶべきものであって、あらゆる自由の拠り所なんですね。最近では、柄谷行人さんの『哲学の起源』がこの移動の自由に注目していたと思います[20]。移動の自由はさまざまにある自由のひとつではなく、自由の根底にあるものだというこ

---

*18　アガンベンが『ホモ・サケル』をはじめとする著書で提唱した概念で、自由や権利、人格を奪われ、ただ生きている状態を意味する

*19　移動の自由に対する感覚が人や社会によって異なる。アジア的専制国家は、国民が移動の自由をそれほど重視しないことがわかった。一方でヨーロッパの人は、移動の自由を、自由のなかの根本的な要素と考えている（大澤）

*20　柄谷行人は『哲学の起源』において、古代イオニアで自由と平等が実現していたと述べている。そして、それを実現する条件に「移動の自由」があったと考えた。『戦後思想の到達点　柄谷行人、自身を語る　見田宗介、自身を語る』の対談でも、移動や遊動性の話をしている。このテーマを柄谷は若い頃から追求していた。彼自身は実際の生活ではあまり移動しないが、理論的には重視していたようだ（大澤）

とです。

移動の自由の重要性を授業で学生に説明するとき、僕はよく近代の刑法の話をするんです。フーコーが『監獄の誕生』で明確に示したように、近代以前には残酷刑を含めた多種多様な刑罰があり、またそれに取って代わるべく考案された刑も多種多様でした。ところが、近代では刑罰は単純化され、罰金と死刑の間をすべて監獄が占めることになりました。つまり移動の自由の制限です。実はフーコーは監獄が刑罰の中心となった理由についてはまったく何も書いていないのですが、あえて単純な理由を考えるとすれば、移動の自由の制限こそが人間にとって最も苦痛であるから、と言えるのではないかと思うんです。

あるいは、移動の自由をめぐるポジティヴな例として、ベルリンの壁崩壊に始まる東欧革命が思い出されます。ベルリンの壁の崩壊にはもちろんさまざまな要因が働いていたわけですが、その原動力のひとつは、東独の人々が移動の自由を求めたことにありました。


そのことを今回のコロナ危機に際して思い起こさせてくれたのは、ドイツのメルケル首相ですね。彼女は東独の出身であり、移動の自由がどれほど貴重なものであるかを知っている世代です。だから、その制限が極めて深刻な意味をもつことをよく理解していて、ドイツ国民に向けたスピーチの中で次のように述べたんですね。「旅行および移動の自由が苦労して勝ち取った権利であるという私のようなものにとっては、このような制限は絶対的に必要な場合のみ正当化されるものです。そうしたことは民主主義社会において決して軽々しく、一時的であっても決められるべきではありません。しかし、それは今、命を救うために不可欠なのです[*21]」。

これは実にバランスの取れたスピーチであったと思います。もちろんメルケルは政治家だから、そう述べた上で移動の自由の制限の必要を言うわけですが、それに対してアガンベンは哲学者ですので、「炎上」も顧みず、鋭く問題提起したわけです。僕はああいうアガンベンの振る舞いに哲学者を強く感じますね。ソクラテスが哲学者というのはポリスにとってのアブのような存在だと言ってますが、まさしくアガンベンはアブのようにブンブンとうるさく飛び回って、世の中で受け入れられつつあるドクサについて再考するよう人々に求めたわけです。ちょっと長くなりましたが、アガンベンの主張とそれに対する僕の見解をまとめると以上のようになります。

大澤　今回のアガンベンの発言は、普通に考えればとんでもない話に聞こえます。ブラジルのボルソナーロ大統領と同じようなことを言っている、とも取られうるからです。そして当然、普通の反論がありました。人がどんどん死ぬのに、そんなこと言っている場合かと。浅い反論としては、アガンベンが最初に寄稿したのは、イタリアで何万人も死者

＊21　「新型コロナウイルス感染症（COVID-19）対策に関するメルケル首相のスピーチ」ドイツ連邦共和国大使館総領事（翻訳：Mikako Hayashi-Husel） https://japan.diplo.de/ja-ja/themen/politik/-/2331254

が出る前の段階だったこともあり、彼はウイルスの客観的な恐ろしさや、疫学的な意味を理解していなかったというものがあります。

僕もアガンベンの言っていることは、最終的にどこかに間違いがあるんじゃないかと考えています。しかし、単純に浅いレベルで批判してはいけません。彼の言っていることの最も深い部分を全部理解し、引き受けた上で反論しなければいけない。

実は、これに類することは、思想史や歴史にはしばしば起こります。最も優れ、賢いはずの人が、最悪の過ちをおかしているように見える、ということが、です。その究極の実例は、ハイデガーのナチス支持です。ハイデガーがナチスの熱烈に支持したのはどうしてなのか、それは今でも謎になっています。しかも、彼は、戦後、そのことを悔いたり、自己批判したり、謝罪したりということをまったくしなかった。このことを、たとえば、哲学のテクストを読むのは得意だったけれども、政治音痴だったのね、程度のことで片付けてしまってはだめです。でもハイデガーが、彼の全哲学的人生をかけてナチスを応援したとすれば、それが正しいかは別として、彼がどうしてそちらへ向かったかを理解しないと乗り越えることはできません。何を乗り越えられないかというと、ナチスを、です。

日本で同じような例を出すとすると、三島由紀夫を挙げたいと思います。三島は、近代日本史上、最も偉大な文学者のひとりです。しかし、ご存知のように、最も愚かな右翼よりももっと愚かなやり方で、クーデタ未遂のようなことをやって自刃しました。これも「三島はバカだった」で済ますわけにはいかない。最終的には批判するにせよ、三島ほどの人があのような行動に至った理由を全部理解した上で、批判しないといけません。僕としては、一昨年出した『三島由紀夫　ふたつの謎』で、それを試みたつもりです。

もうひとつだけ事例を加えておきます。昨年亡くなられた加藤典洋さんは、ご存知のように戦後・敗戦のことについてずっとこだわって考え、書いていました。『敗戦後論』もそのひとつですし、生前最後の著書になった『9条入門』もその成果です。そうした著書の中で、戦後の日本国憲法の草案ができたときに、枢密院で美濃部達吉だけがこの草案に反対した、という事実に加藤さんは注目しています。普通に考えると美濃部は戦前からのリベラルで、ほとんどの人が時局におもねって、皇国思想を支持しているように見えていたときにも、それにくみさなかった。戦前、天皇機関説を公言して、酷い目にあってもいる。そんなリベラルな美濃部ならば、大日本帝国憲法に代えて提案された、国民主権の日本国憲法に率先して賛成しそうなのに、ほかの誰よりも反動的に振る舞っているように見えるわけです。加藤さんは、美濃部のこうした対応が、日本国憲法をすぐ支持した、彼よりも一世代若い憲法学者よりもずっと深いものを含んでいた、ということをかなり説得的に説明しています。

いくつか事例を挙げましたが、アガンベンの今回の反応も、こうした例の一種に思うわけです。彼はイタリア政府の緊急事態の対応を批判したわけですが、仮にその批判が間違っていたとしても、政府の対応をすぐに支持した者たちよりももっと深い、大事な論点が隠れている可能性があります。こうしたことを十分に考慮した上で、今回のアガンベンの発言についても考える必要があると思います。

例外状態への警鐘

大澤　まず、アガンベンの発言に「さすが」と僕も思いました。なぜなら、彼の今までの主張の基本性を愚直なまでに維持し、その延長線上で発言しているからです。考えてみれば、今起きていることは、アガンベンの研究対象そのものです。「例外状態」であり、そして「生政治」的な出来事でもある。これほどアガンベン的な事態はない。そして、紹介していただいた文章も、アガンベンのこれまでの主張から、ストレートに予想されるものです。例外状態が常態化することに対して警鐘を鳴らし、「剥き出しの生」だけが政治的な主題となることの問題を指摘する、と。ときどき、学問的に論じているときに述べていることと、現実の政治や社会に対したときに言うこととがずれる人がいますが、アガンベンはそうした乖離がない。さすが、です。しかし、すごいと思う一方で、これでいいのかという疑問もあります。

　そこで、本来だったらアガンベンに尋ねるべきことを、代わりに國分さんに質問するような形で伺います。現状では、いわば例外状態がつくられているわけですよね。アガンベンは「invention of epidemic」とまで言っている。例外常態としての感染症は、構築物である、と。ところで、アガンベンでなくても、権力者の宣言によって例外状態が構築され、法を超える権力が行使されることを批判する人はいます。ただ、このようなときに、一般には、例外状態を宣言する者が、それによって利益を得ている、という前提があるわけです。しかし、今回、例外状態がつくられても、イタリア政府もコンテ首相も大企業もまったく得をしない。むしろ、損するくらいです。アガンベンによると、テロが口実として使えなくなったので、今度は感染症が利用された、と言っても、そんなことをして、誰が得をするのでしょうか。それとも、権力や権限を有する人にとりたてて利益がなくても、そのようなことが起こる、という考えなのでしょうか。もしそうならば、わざわざ感染症を利用して例外状態を構築する動因は何なのでしょうか。

國分　たとえばハンガリーは、緊急事態宣言を無期限延長できることを法律で決めてしまいました。こうした例を見ると、専制的な権威主義的政治体制をつくるために、露骨にコロナ危機が利用されているとは言えるでしょう。

ただ、そういったことがどの国家でも行われているわけではありません。日本だと、実は左派の批判勢力の方が緊急事態宣言をすべきだと言っていたくらいです。ですから、どこかに悪人がいるわけではないんですね。むしろ、我々が今、進んで民主主義を捨てようとしていることへの警鐘と捉えるべきかと思います。

大澤　確かに今回、緊急事態宣言を出してくれと言っているのは、リベラルや左派でした。これまで緊急事態の権力は危険だとか言って批判していたくせに、実際に危機的な状況になったら結局、緊急事態を求めるのかと揶揄されています。

多くのリベラルや左派は、テロを口実に緊急事態宣言し人権まで侵害することは批判してきました。こういうふうに批判するとき、左派やリベラルには、テロリストへの（口には出されないけれども）同情があったと思うのです。テロリストのやっていることは確かに悪ですけど、同時に、それは、グローバル資本主義による社会的暴力に対する報復なのだから、許されるとまではいかないが、同情できる面もある、と。しかし、ウイルスをテロリストと同列に扱うわけにはいかない。

そうすると、今回は、一般的な右と左の立場が反転してしまうのです。どちらかと言うと、左派の方が緊急事態下の権力を欲しています。トランプがそうであるように、右派的な保守的権力層の方が、早く緊急事態を解除して日常に戻りたがっています。

これまでの一般的な議論では、人民が自由を求めているにもかかわらず、緊急事態を利用して主権者や独裁者が法をも超えるような権力を発動し、自由を抑圧するという構造を前提にしていました。今、ご指摘になったハンガリーのように、この伝統的な図式が当てはまるケースもありますが、そういうケースの方が少数です。國分さんがおっしゃるように、今回の場合、緊急事態下の権力の使用が「民主的に」望まれているという状態になっていますね。

國分　ジジェクに近い立場の哲学者、アレンカ・ジュパンチッチが、もうだいぶ前の本ですが、『リアルの倫理　カントとラカン』の中で、「生命ほど尊いものはない」という貧弱な原理しかもたない現代社会に生きる者たちは、実は大義のために命をかける狂信的な人々を恐れると同時に羨ましく思っているのだと指摘したことがありましたが、大澤さんが指摘された通り、左派やリベラルには確かに、テロリストに対する一定の同情があったと思います。では、同情できないウイルスが相手になるとどうなったかと言えば、今度は危機対応として例外状態を望むようになっている。すると、そこに通底している情念というのはいったい何なのか。やや気が滅入ってしまいますが、これは社会の理想像を欠いている時代の兆候なのかもしれません。この件は今日はきちんと議論できませんが、重要な問題であろうと思います。

　例外状態に話を戻すと、アガンベンが言う通り、今、我々は例外状態に慣れきってしまっているということなのでしょう。日本は特にそうで、その例として僕がよく挙げるのは閣議決定ですね。閣議決定というのは、単に内閣のメンバーが集って決めた方針に過ぎない。ところが、それがまるで法的効力をもつかのように報道され、また実際、そのように作用している。これは「例外状態の常態化」の実にわかりやすい例ですよね。

大澤　立法権より行政権が優っていく状態ですね。

國分　その通りです。行政権力が立法権力に取って代わる例外状態が常態化し、しかも我々もそれに慣れきってしまっている。その中で民主主義の大原則であるはずの権力分立は蔑ろにされているが、誰もそれに疑問を抱かない。まさしく我々は進んで民主主義を捨てようとしている。アガンベンはそのことを指摘している。

もうひとつ、彼ははっきりと述べてはいませんが、民主主義における身体性のことも考えていると思います。つまり身体をもった人間が集まることの政治的意味です。アガンベンは保守的なところがあって、同じく保守主義的な思想の持ち主であったハンナ・アーレントに強く惹かれていますね。アーレントは、世界から身体性が失われていくことに強く警戒した思想家でした。

たとえば現代の科学は、我々の身体に根ざした日常言語ではもはや理解できないものになってしまっているが、我々の日常はまさしくそのような科学によって支配されている。政治もまた身体をもった人間が集まって行うものではなく、官僚たちによって行われる「管理」になってしまった。アーレントはこのような現代においてどうすれば身体性を取り戻せるかを考えたわけですが、アガンベンも同じ問題意識を抱いていると思います。だから、彼は大学の講義のオンライン化にも強く反対しているんですね。[*22]

そのような発想はやはり保守的と言うべきだと思います。もちろん保守的だからといって批判したいわけではなくて、今の時代における保守性の意味を考えなければならないと思うのです。特に、身体をもった人間が集まることの意味というのは僕はまだよくわからない。何か大切なものがそこにはあるということは直感しているけれども、それが何かわからない。これは僕ももう少し考えたいと思っていることです。

「生の形式」とアガンベンの行き詰まり

大澤　もうひとつ素朴な問題提起をしておきます。確かに移動の自由、死者の権利が大事なのはわかりますが、そうした自由とウイルスからの安全・セキュリティとを比べたら、多くの人が「死んでも構わないから、自由をよこせ」とは言わないと思う。メルケルにしたって、移動の自由すら制限されて仕方ないんだと訴えたわけです。

　現にそういう傾向があるから、緊急事態宣言をしている政府の方が支持されています。逆に緊急事態宣言を出さない方が、政府は民主的に倒れていくと思います。これについては、どういうふうに考えればいいでしょう?

國分　難しいですね。アーレントにこだわるとすれば、一方で、「人間の条件[*23]」が問われていると言えるかもしれません。

　よく知られた話かもしれませんが、セキュリティという語は、ラテン語の「sēcūra（セクラ）」が語源で、配慮（cūra）がない（sē）状態のことです。セキュリティが完全になるとは、つまり、

＊22　ジョルジオ・アガンベン「学生たちへのレクイエム」（Istituto Italiano per gli Studi Filosofia、二〇二〇年五月二十三日）

＊23　アーレントは、『人間の条件』において、人は基本的要素たる「労働」「仕事」「活動」に条件づけられた存在だとする考えを述べている

人間が世界に対して配慮をしなくていい状態になることですね。ハイデガー的に言えば、「Sorge（ゾルゲ）」[*24]がない状態。アーレント風に言えば、わざわざ勇気を出して人の前に「現れる」[*25]必要のない社会ということになるでしょうか。ハイデガーやアーレントのように考えるならば、完全なセキュリティを求めるとき、人間は人間であることの条件の一部を放棄してしまっているということになるでしょう。

しかし、このような上から目線の物言いはもはや通用しないし、僕も納得できません。哲学的な戯言のようにすら思える。

ですから「人間の条件」というより「政治の条件」が問われていると考えるべきではないか。そのように考えるときもアーレントの思想はヒントをくれます。彼女は独裁政治、あるいは古い言葉で僭主政治と呼ばれるものについて、その問題点というのは、それがむしろうまく行ってしまうことだと考えました。たとえば、僭主政治はたしかに人々を公的生活（政治）から締め出し、人々から公的な幸福（政治参加の喜び）を奪うんですが、だからといって必ずしも私的な幸福を奪うわけではない。すこし戯画的に言えば、政治にはまったく口出しできないけれども、テレビではバラエティ番組がたくさん放送されていて、人々は仕事の後、それを見て楽しみ、ゲラゲラ笑っているという感じでしょうか。

民主政治が効率も悪ければ、負担も大きいことは言うまでもないわけです。だとすると、仮に非常事態宣言が必要であったとしても、それが現在起こっている例外状態の常態化、すなわち、事実上の独裁政治の延長線上にあるのだとしたら、単純に非常事態宣言を肯定することはできないのではないか。
もちろん、人々の政治意識が高まって、その上で非常事態宣言が要求されることも十分に考えられますし、もしかしたら日本にだって、今そういう雰囲気があるのかもしれない。それはまだ僕にはわからないけれども、その可能性とそれをめぐる危険性をきちんと見定めるために、アガンベンの問いかけをきちんと受け止めておきたいと思うんです。

大澤　なるほど。アーレントが言うように、独裁の方がうまくいくかもしれない。でも、そうじゃないものもあるはずだと多くの人が思っている。あるいは、思いたがっている。資本主義的繁栄も、独裁の中ではうまくいかないはずだ、民主的な体制としか両立できない、というのが長い間の前提でした。でも今や、一党独裁の中国が成功してしまったため、この前提に疑問符がつけられるようになり、みんな戸惑うことになりました。今のところ、学者の見解は大きく二つに分かれていると思う。資本主義と民主主義との間には必ずしも強い結びつきはなく、もしかすると、独裁的な資本主義というのも成功しうる、という説と、中国の成功は一時的なもので、民主化が十分ではない中国の資本主義はいずれ

＊24　ドイツ語における「気遣い」「配慮」といった意味。ハイデガーは『存在と時間』のなかで、「ゾルゲ」を人間が人間であるために必要な要素として考えている

＊25　アーレントは、『人間の条件』のなかで、複数の人々によって構成される「現れの空間」が政治的自由や政治的生にとって不可欠であることを説いている。「現れ」ている状態とは、単に生物としての生ではなく、他者との語りによって存在するものである

失速するだろうという説。どちらかわかりません。

いずれにせよ、今回のパンデミックへの対応において、中国がかなりの成果をあげたのを見ても、民主的な体制はいよいよ苦しくなったことは確かです。今後、政治的に独裁に対抗し、民主主義を擁護するためには、もっと強い原理を考えていかなくてはいけません。そういうことを考える上でも、アガンベンの議論は参考になります。

我々は今「剥き出しの生」以外の価値観をもっていません。「剥き出しの生」というのは、ギリシャ語の「ゾーエー（zoe）」に対応するものですね。ここでちょっと読者のためにアガンベンの研究についての教科書的な解説を入れておきます。ギリシャ語には、「生 life, vie」を意味する語は、二つある。今述べた、「ゾーエー」（これが動物園のzooにつながるわけですね）ともうひとつ「ビオス（bios）」（biologyのbioはここからくるわけです）。「ゾーエー」は、単純に動物として生きているという事実を意味している。それに対して、「ビオス」は、人間的な様式をもった生ということです。日本語では、「生命」というとゾーエーに近く、「生活」という語は、ビオスに近い。

アガンベンによれば、もともと、ポリス（政治）の目的は、「ビオス」にあった。つまり、古代ギリシャにおいて、政治の目的は、「善き生」を追求することにあった。ところが、西洋の政治は、やがて、単に生きることを目的にするものに変わっていった、というわけです。このことを「主権」という概念の誕生とか、あるいは、先ほども話題にした「例外状態」の常態化という問題とかをからめてアガンベンは論じていて、複雑です。

特に、重要なのは、アガンベンは、この議論を、フーコーの「生政治」という話と融合させていることです。生政治というのは、フーコーが近代的な権力・政治を特徴づけるのに導入した概念ですね。近代以前の権力とは、殺す権力だった、というわけです。生殺与奪の権をもつ、ということが権力がある、という状態です。権力者は、従属者を生きるがままにしておくわけですが、いざというときに殺すこと――殺しうることを示すこと――で権力を発揮する。それに対して、近代の権力は、生かす権力である、というのがフーコーの認定です。人間の集合（人口）を生かす、ということが権力や政治の主要な関心になったわけです。現在のパンデミック対応も、この生権力の文脈で起きている。国民がバタバタ死んでいく状態を放置しているような政府は、正統性を維持できません。

さて、ここまでは解説として、アガンベンは、「剥き出しの生」ということだけが政治における唯一の価値であるような状態を問題にしている。そうだとすると、「剥き出しの生」に対立させる概念が必要です。今の解説からわかるように、普通だと、ビオスの系列に属するものによって対抗する、ということになるわけですが、それではちょっと弱い感じが僕はします。ハンナ・アーレントに関して言えば、明らかに、「ビオス」的なものを導入しています。しかし、アガンベンも同じことをそのまま受け継いでいる、ということになるのでしょうか。それでは、ちょっと弱いというか、ひねりが足りないというか、そんなふうに思うのですが、どうですか。

國分　僕もそれがウィークポイントだと思います。その解決策として、彼が最近出している答えとしては「生の形式」というやつですね。

大澤　そうですね。アガンベンはそう書いている。でも、「生の形式」ってどういうことなんでしょう？　とてもわかりにくいように思うのです。

國分　非常にわかりにくいと思います。ごく簡単にイメージだけを出すと、自分なりの習慣を生きているということだと思います。では習慣を生きるとはどういうことか。一番参考になるのは、『身体の使用』という著作だと思います。その中でアガンベンは支配と使用を区別しました。支配というのは主体が客体を利用することですが、アガンベンによれば、実は支配だと思われているものには使用のモーメントがある。使用というのは使うということですから、主体が客体を使うと、つまり支配と同じく主客図式に則っているように思えます。しかし、たとえば自転車に乗るときのことを考えてみればわかるように、何かを使用するためには、それを使用する者へと自らを構成しなければなりません。自転車に乗ったことがなかったままの自分が自転車を支配しようとする限り、自転車にはうまく乗れない。使用には、使う者が使われる物に合わせて変化するというモーメントがあり、ある意味では使う者も使われる物に使われているとすら言える。

主客図式に対する批判は近代に入ってからずっとあるわけですが、アガンベンはこの図式を支配の概念と重ね合わせるとともに、その図式によって見えなくなる使用という様態を取り出すことで、むしろ主体は使用を通じて、その使用のために現れると考えるわけです。そして使用は自転車のような道具のみならず、自らの身体、さらには自己そのものの使用とも考えられるわけで、そうすると、生きるということそのものが使用として捉えられることになる。というか、使用だけがある。使用のうちに溶け込み、その使用を反復することをアガンベンは「習慣的な使用」と呼び、さらにそれを哲学的に言い換えて、習慣的な使用は観想であり、観想はひとつの「生の形式」であると言っています。

　観想とは何かというのはややこしい問題なので、それはここでは飛ばし、話をぐっと卑近なレベルにもってくると、現在の経済体制というのは、フォーディズム時代のように製造業がひとつの商品を反復的に生産するだけでは利潤を得られない。だから、人々の可能性をぐんぐん引き出して、日々現れる新しい課題にフレキシブルに対応させようとするわけですね。可能性を引き出されて、次々に課題をこなしている生は、一見したところ生き生きとした生に思えるかもしれない。けれども、それは労働力ならぬ可能性の搾取とも言えるわけで、その可能性の搾取の中で多くの人が鬱などの精神疾患にも苦しんでいる。ここまで単純化していいかわかりませんが、アガンベンはこれに、穏やかで静かな、習慣を反復するような生を対置しているのだと思います。そもそもそうした習慣の反復の中でこそ、主体も生成するのだということでしょう。

　ただこれは僕が相当好意的に読んでいるのであって、わかりにくさは否めません。『身体の使用』でも、これも「生の形式」、あれも「生の形式」と言われていて、それでは何もかもが生の形式ではと思ってしまうところもある。

初期のアガンベンは、ゾーエーに対してビオスを対立させる戦略だったように思います。でもそこには何か問題があった。その問題点は、この概念の出どころであるアーレントの問題設定にあるかもしれません。「ゾーエー」が始まりも終わりもない生であるとすれば、「ビオス」は始まりと終わりのある、ひとつのストーリーとなっている生のことですね。そしてそのストーリー性は有名性と切り離せない。そして有名性とは、アーレントにおける「who（誰）」という議論と対応しています。

「who」は「what」ではない。たとえば、僕は男性であり、大学の教員であり……などと情報を積み重ねていけば、僕の「what」は説明できる。けれども、僕が誰であるか、僕の「who」はそれでは答えられない。彼女が論じた「活動の空間」というのは一人ひとりの「誰」が認められている空間のことです。ただこれは魅力的なビジョンではありますが、すごくマッチョな部分もある。というのも、それは「Who are you?（あなたは誰ですか？）」と言われたときに答えられる人の集まりとも言えるのであって、自分が誰かを示せない人を排除する空間でもあり得るからです。

「ビオス」の概念はこのような「who」の概念に非常に近いところがあります。とすると、それを「ゾーエー」に対立させるだけでいいのかということになる。確かに、生存だけを至上の価値と認める社会がもつ意味を問わねばならない。「剥き出しの生」を人々が疑わなくなったことの意味を問わねばならない。だから、アガンベンが理論的に、さらには今回のように情勢論的に、警鐘を鳴らすこと自体には意味があったと思います。ただ、ゾーエーに対してビオスを対立させる戦略には大いに問題があるし、だからと言って「生の形式」でいいのかというと、これはよくわからないところがあるし、もしかしたら単に穏やかな生活という非常に単純な話かもしれないという懸念もある。月並みな結論ですけれども、アガンベンの理論的枠組み全体を批判的に検討しなければならないということでしょう。

「生の形式」の乗り越えと、身体性への回帰

大澤　アガンベンの「生の形式」は、やはりわかりにくいですね。『いと高き貧しさ』の中でも、この概念を出してきていますよね。この本は中世の修道院生活のことを書いていて、その意味ではすごく具体的なのですが、それを「生の形式」という概念へと抽象化するところでわかりにくくなってしまう。具体的な例と概念とがうまくつながっていない、という印象をもちます。

『いと高き貧しさ』では、「生の形式」のことを、たとえば、「その形式からけっして分離することができない生」とかと書いています。これは、明らかに、先ほど述べた「ゾーエー／ビオス」という二分法《ダイコトミー》を念頭においた言い方ですよね。いわば、ビオス（形式）から分離されないゾーエー（生）のようなものをイメージしていると思います。何らかの規範があって、それを生に適用する、ということになっていると、ビオスとゾーエーは分

離していることになってしまう。あるいは、生きることについての事実（ゾーエー）と、生についての可能性（規範が許している行為の潜在的可能性）とが分離していなくて、可能性がそのまま存在している状態みたいなものが「生の形式」らしい。その具体例を、救世主イエスをモデルにして構築されている修道院の生活に見ようとしているのですが、抽象的な概念規定と、この具体例との間のつながりが、うまく説明できているのか、微妙な感じがします。

　かなり古いものですが、アガンベンがメルヴィルの『バートルビー』について論じた短い文章がありますよね。[*26] これに、「生の形式」とか、あるいは可能性（潜勢力）のままであるような生とかというものの原点的なイメージが出ているようにも思います。『バートルビー』というのは、ウォール街の法律事務所に雇われた、バートルビーという名の書記の話なのですが、この男は、雇い主から何を頼まれても“I would prefer not to...”と答えて、やろうとしない。このバートルビーの返事は、英語としてとても不自然な表現なのですが、直訳すると「私はそれをしない方を好む」ということになります。結局、何もしないわけだから、雇い主は困って、バートルビーを解雇しようとしたり、追い出そうとしたりするのですが、どうしてもうまくいかない。最終的には、法律事務所の方が、ウォール街から逃げ出すことになります。そんな話ですが、このバートルビーの態度こそが、のちに「生の形式」というかたちで概念化しようとしたもののスタートだと思う。

　いずれにせよ、この概念を、明確な行動として現実化すると何になるのか、アガンベンはもうひとつ提示できていないように思います。今回のイタリア政府の緊急事態的行動に対して、結局は、かなり保守的な批判しかできなかった原因も、ここにあるのではなかろうか。そんなふうに思います。ついでに言えば、保守的という点では、アーレントもそうです。ただ彼女は確信犯的なものです。でも、アガンベンは、保守的なところに回帰するのは、ほんとうは本人にとっても不本意なんじゃないか、と思う。実のところ、僕はフーコーについても似たような印象をもつのですけれど。

國分　アーレントの保守主義は確信犯的というのは間違いないですね。僕はアガンベンやフーコーも、自らのそのような傾向にかなり自覚的であったのではないかという気がしています。むしろ読者がそのような保守主義的な傾向を見たくないと思って塞いできたのではないだろうか（因みに僕はドゥルーズについても同じことを考えています）。アガンベンはイタリアのカトリックの文化がとても好きですし、今回も「教会はなぜ何も言わないのか」という発言にそのことがよく見てとれます。[*27]

ただこれを本人の性格の問題として片付けてはいけなくて、やはり理論的な問題なんですね。アガンベンの基本的な発想は抵抗だと思います。僕らを押し流そうとする資本主義や歴史の力学があるときに、それに抵抗し、今いるところに留まろうとする、そう

＊26　ジョルジオ・アガンベン『バートルビ　偶然性について』月曜社、二〇〇五年

＊27　ジョルジオ・アガンベン「補足説明」（Quodlibet、二〇二〇年三月十七日）での発言

いう発想です。彼の哲学はしばしば、「非の潜勢力の哲学」として紹介されると思いますが、これはどういうことかというと、まさしくバートルビー的に「しないこと」「しないでいることができるということ」、つまり、すこし戯画的に言えば、「やろうと思えばやれるけど、やらない」「やればできるから、今はやらない」という受験生の言い訳のような考えですね（笑）。どうしてそれが抵抗の意味をもつのかというと、先程紹介したように、現在の経済体制はそれを許さず、発揮されていない可能性をぐんぐん汲み尽くそうとしてくるからです。だから、「やればできるけど、やらない」という潜勢力の非実現がその力に抗うという意味をもつことになる。アガンベンにとっての自由とはこのようなものです。それには僕は確かに大きな意味があると思う。

　ただ、それは僕らを押し流そうとする巨大な力学を前提としているから、何か展望を提示するという方向には向かわないわけです。それでも十分かもしれません。ただ、それが保守主義的というか、懐古的な雰囲気をもつ理論になることは否めないでしょう。もちろん、それで何が悪いとも思いますが。ただ、キラキラしてガツガツしたリベラル的な思想とはまったく異なることは言うまでもないでしょうね。

大澤　アガンベンの考えだと、労働する者が自由な主体としてなにかを現実にやってしまうと、結局は、それは、資本主義に貢献しているだけになってしまう。だから「(できるけれども)しない」という状態を純粋に保ち続けることにこそ、真の自由があるということになるわけです。

ただ、これではあまりにも消極的です。「生の形式」をポジティヴなものとして現実化したときには何になるのか。もちろん彼の研究は、たとえばヨーロッパのキリスト教カトリックの研究とか、ギリシャ・ローマ以来の主権の歴史の研究とか、そうしたものとしては素晴らしいのですが。

ちょっと違った角度から考えてみましょうか。アガンベンには、「剥き出しの生」だけがベースであるとき、それは、人間の関係や連帯に対して破壊的に作用する、という前提があるように思います。実際たとえば、先ほど斎藤環さんの議論として紹介した、体液が飛ぶから何メートル離れてください、会うのだったらできるだけオンラインにしてください、みたいなことは、「剥き出しの生」だけを守ろうとしたときに、親密な関係が壊されるということの典型的な例です。現在、繰り返し言われていることは、人と人との接触をできるだけ少なくしろ、ということですが、それは、言い換えると「すべての他者があなたにとって脅威である」あるいは「あなたがすべての他者にとって脅威である」と言っているに等しいことになります。人々は互いに、潜在的に、意識せざる敵同士である、というわけです。アガンベンの前提だと、そうなるのは、ことがウイルスに関わる問題だからではありません。人間にとって、ただ生きるということが究極の唯一の目的だとしたら、他者は常に脅威になりうる。このように「剥き出しの生」は、人間の関係にネガティヴに作用するという論点が、アガンベンにはあります。

國分　距離をとり、デジタルメディアを使ってつながるという人間関係のあり方が長続きするとは思えないとアガンベンは別の論考でも書いています。[28] オンライン講義にいたっては、「遠隔講義という新しい独裁体制」に同意した教授たちは一九三一年にファシスト体制に忠誠を誓った大学教員と完全に同じことをしていると、ちょっと驚くような強い口調で批判している。[29] ここまで来ると僕もちょっと同意ができないと感じるぐらいですが、相当強い確信があるわけですね。オンラインでしか人と付き合わないというのは、人間が人間を捨て去ることだというぐらいに考えているのだと思います。

大澤　ただ、逆のことを言えないでしょうか。つまり、「剥き出しの生」に準拠することをポジティヴに捉えることとです。僕らは民主主義の価値観によっては連帯できない。アジア的専制でも、共産主義でも無理。けれども、いま僕らは「剥き出しの生」への脅威によって、グローバルなレベルの人類的な共同性を実感しつつある、と言えなくもない。

國分　民主主義的な価値をめぐるある意味ではハイソサエティ的でエリート主義的な理想と、「生きていたい」という人間の剥き出しの感覚とが、実はつながるかもしれないというわけですね。

大澤　やはり、「生の形式」が曖昧なところに、アガンベンの理論の弱みがあるように思いますね。今回の件でアガンベンの今回の反応に問題があるとしたら、その究極の原因は、インフルエンザと新型コロナとの違いについてよく認識できていない、とかそんなところにあるのではなく、この「生の形式」という概念がまだ十分に明晰なものになっていなかった、ということにあるのではないか。

見通しだけを話すと、アガンベンを乗り越えるには、「剥き出しの生」からどれだけ距離をとるのか、「剥き出しの生」をどう克服するのか、というふうに問題を立てるのではなく、「剥き出しの生」そのもののうちにポジティヴな可能性を見出す、という方向で考えることだと思います。

たとえば、僕の先生でもある見田宗介先生に、真木悠介の名で書いた『自我の起源』は、そのような試みとして解釈することができます。見田先生は、アガンベンのことはまったく念頭に置いていませんが——というかこの本の方がアガンベンの『ホモ・サケル』よりも前に書かれたものなのであたりまえですが——、文字通りの意味で、生物学的な実体としての「剥き出しの生」から、ポジティヴな意味を、具体的には、エゴイズムとか自我の閉鎖性とかを乗り越える可能性を引き出そうとしています。「剥き出しの生」は、人間の間の連帯に対して否定的だというアガンベンの狙いとはまったく逆になる。見田先生のやり方は、アガンベンよりずっと、近代科学に忠実です。剥き出しの生、つまり人間の身体を動物の個体として見なしたとき、それは、遺伝子の乗り物です。多数の「利己的な遺伝子」（リチャード・ドーキンス）が乗り合わせた乗り物になる。普通は、遺伝子が利

＊28　ジョルジオ・アガンベン「ソーシャル・ディスタンシングについて」（Quodlibet、二〇二〇年四月六日）

＊29　ジョルジオ・アガンベン「学生たちへのレクイエム」（Istituto Italiano per gli Studi Filosofici、二〇二〇年五月二十三日）

己的である以上は、動物の個体（剥き出しの生）は必然的に利己的にならざるをえない、というふうに展開していくわけですが、見田先生は、利己性が遺伝子のレベルにあるということは、逆に、個体としては必ずしも利己的だとは言えない、と捉え返す。むしろ、個体が利己性を乗り越えうる根拠は、そこにこそある、というふうに進化生物学の含意を読み替えていくわけです。

　これは、アガンベンのことを意識はしていないけれども、「剥き出しの生」の可能性を、アガンベンとはまったく逆の方向に見出そうとするものだと思います。ただ、僕としては見田先生の理論も、まだ少し弱いと思っています。実は、この点については、この『THINKING「O」』の十四号で、見田先生に登場していただき、直接対談したこともあるのですが、遺伝子の利己性という前提だけだと、個体レベルの利己性に必然性はないということは確実に言えますが、いずれにせよ、どこかのレベルで——たとえば家族とか個体の集合とかのレベルで——必ず、やはり利己性が出てきてしまうのですね。たとえば、現在のコロナ危機のように、グローバルな、言ってみれば無際限の連帯ということを基礎づけるには、まだ弱いのです。

　そこで、僕としては、見田先生の方針を引き継ぎ、さらに前に進むことができないか、探究しているわけです。それが、講談社の『本』で数年前から連載している「社会性の起原」です。これは、見田先生の場合と同じように、人間性を動物性と横断する部分で見ようとする試みですけれども、今述べたように、遺伝子の利己性という前提だけから直接、人間性を導くやり方だと限界がある。かといって、それとは別の原理を、天下り式にアプリオリに前提にすると、ゾーエーに対する人間的契機としてのビオスを公理的な前提にしているのと同じことになってしまう。だから、遺伝子の利己性という前提だけからでは、普遍的な連帯を導くことはできず、かといって遺伝子の利己性を超える原理を前提にもしないのですから、一種のアンチノミー（二律背反）です。しかし、僕としては、このアンチノミーを克服することが可能だと思って、「社会性の起原」を書いているのです。

これは、先ほどから名前を出していただいているアーレントとは、逆のやり方です。彼女の場合は、「人間の条件」が、最初から前提になっている。「剥き出しの生」とは異なる、超越的な契機として人間の条件があるわけです。しかし、僕の場合は——見田先生の方針を受け継ぎ——「剥き出しの生」そのものから、人間の条件を導こうとしている。

國分　大澤さんの「社会性の起源」は熱心に連載を読んでいます。実はこの連載では、今回の件に関わる重要な実験が紹介されていますね。鏡を見たときに鏡像が自分自身であるとわかるかどうかをチンパンジー相手に試した、マークテストと呼ばれる実験です。[*30] 一般にチンパンジーはこのテストに合格する。つまり鏡に写った自分の姿を自分であると認識する。ところが、生後すぐに母親から引き離され、隔離された状態で成長したチンパンジーはマークテストに合格することができなかった。ならば仲間のチンパンジーを

＊30　大澤真幸「社会性の起源　第五十回　鏡像という他者」『本』二〇一八年二月号

見たことがなかったが故にそうなったのかもしれないということで、隔離されてはいるものの、仲間のチンパンジーを見ることはできる環境で成長したチンパンジーに同じテストを試したところ、このチンパンジーもそれに合格できなかったという話です。

ここからは、チンパンジーの自己認識や他者感覚が、接触をともなった他者経験によって生み出されているのではないかという仮説が導き出せます。もしかしたら人間の自己認識や他者感覚も同じであるかもしれない。肩がぶつかるとか、対峙するとか、あるいは抱き合うとか、そうした身体経験が自我、ひいては社会性の起源にあるのかもしれない。つまり、身体をもった人間が直に触れ合うという身体性の次元が自我や他者性、ひいては社会性には不可欠なのかもしれない。だとすると、アーレントのように「人間の条件」というエリート的な原理を持ち出さなくても、人間が身体をもって集合することには意義があることになる。今回の件もあって、これまで以上に大澤さんの「社会性の起源」には注目しているんです。

アーレントが「人間の条件」と言うとき、人間は動物ではないという強い主張が感じられます。アガンベンについてもしばしば、「彼は人間に動物になってほしくないと思っているのだ」ということが言われますが、それは少し的を外していると思います。アガンベンが重視しているのは、動物と人間の区別ではなくて、身体をもっているものに与えられた何らかの可能性のことではないでしょうか。身体的な接触はその可能性に欠かせないものかもしれない。もちろん、そうすると、動物にも「生の形式」はあるのかという話になるでしょう。この概念自体の曖昧さを無視した上で直感的に言えば、僕はあるんじゃないかと思います。

大澤　アガンベンについては、おっしゃる通りです。僕の趣旨は、アガンベンには――アーレントとは違って――人間と動物のあわいのようなものへの鋭い感受性があるのに、それが「生の形式」という概念には十分に救いとられていないのではないか、ということです。たとえば、小著ですが彼の『開かれ　人間と動物』は、僕のお気に入りの本のひとつで、バートルビー的潜勢力のようなものを、人間と動物の境界から引き出そうとしている、と解釈できますね。

国家理性と近代国家の誕生

大澤　最後にもうひとつ、聞きたいことがあります。シンプルな質問です。緊急事態あるいは例外状態での権力は「一般的にいけない」ということになるんでしょうか?

國分　これは、非常に難しい問いですね……。僕に答えられるか、僕がそれに答えるに適任か、まったく自信がないんですが、参考になるのは「国家理性 raison d'État（レゾン・デタ）」ですね。十七世紀頃に近代国家が出現する過程で、国家はその問題に悩まされました。国家がその存続を目的とするならば、ときには法律を無視することもやむをえないのであり、その時に国家は法律を超えた国家理性という基準に従っているのだという議論です。しかし、それは法体系を超えた法のようなものを考えることであり、結局、近代国家理論はその理論化に失敗します。これについては最近、大竹弘二さんが『公開性の根源』で詳細に論じました。

緊急事態あるいは例外状態というのはまさしくこの国家理性の問題の再来です。近代国家は国家理性の必要性を感じながらも、結局その理論化は断念されたのだとすると、国家理性の問題は近代国家に取り憑いている亡霊のようなものだと考えることができるかもしれません。それを理論化もできなければ排除することもできずに近代国家は今に至っている。

うまくお答えできていませんが、近代国家に国家理性という未解決の問題があることを問い直すところから始めるほかないのではないでしょうか。

大澤　これは法や憲法の逆説なのですが、デリダもよく言っているように、法の起源には法以前の暴力が仮定されています。あるいは法自体が脱構築できるようになっています。あるいは次のように言ってもよいでしょう。つまり、憲法があるということは、憲法制定権力があったと、少なくとも論理の上では仮定されることになる。憲法以前の正統化されない力があることを前提に、憲法の正統性が担保されているところがあります。類比的に言えば、数学の体系の無矛盾性（正統性）を言明する命題自身が、決定不能命題になっていて、形式体系の中では証明できないのと似ています。数学の「真理性」は、形式体系の外部によって担保されるしかないわけです。

憲法についてもこれと同じです。憲法の正統性は、憲法そのものの内部には収められない、例外状態的な力がありうることを考えておかないと、説明できない。その力に対して、憲法はどのような態度をとるのか。一方では、憲法に違反していると言わなくてはならない。他方では、憲法はそれを必要としている。

日本は緊急事態宣言をしているけれども、他の国に比べれば拘束力は弱いですよね。改正新型インフルエンザ特措法に書いてある範囲だと、たとえば、自粛の要請に応じず営業しているパチンコ屋の名前を公表する、くらいが限界で、何か強制することもなければ、罰則もない。それに対して、各国ではかなり厳しいロックダウンをしています。各国は、今行われている緊急事態の措置に対してどのくらい合法性があるのでしょう?

國分　フランスは法的な根拠がある緊急事態宣言でした。だから外出禁止令に反すると一三五ユーロの罰金も取られます。イタリアはアガンベンが使っている言葉を引用すると、「decreto legge」、英語では「executive decree」と翻訳するようですが、これは、国の行政機関が制定する「命令」であるにもかかわらず国会が制定する「法律」と同じ効力をもつもので、やはり法的な根拠はあります。ただこれは実にアガンベン的なテーマに関わる概念で、立法府から行政への立法権の移譲を前提にしています。行政が立法していることになるわけですから。だからこれはごく簡単に言えば、分権という原理の否定であって、ここにはやはり例外状態の危うさを感じざるを得ませんね。

大澤　もちろん緊急事態条項、戒厳令、ナチスの授権法に見るように、緊急事態用の法律や憲法の条文は、国によってはあります。それでも、今ヨーロッパやアメリカで起きていることが、どの程度法律に基づいているかは専門家によって見解が分かれるところがあるのではないか、と思います。

アガンベンは、政府が法的根拠が怪しい措置をとっているような書き方をしています。これを読むと、少なくとも明白に合法的とは言い切れないことをイタリアでは行っているように思えます。メルケルのスピーチも、憲法的に与えられた権利を一時的に蹂躙するかもしれないと暗に伝えるようなものでした。

はっきり言えば、憲法やその他の法律に緊急事態の措置について書かれていたとしても、それ自体が憲法違反だと考える余地があると思います。仮に憲法に緊急事態のための条項があったとしても、それ自体が憲法の内的な矛盾のようなものであって、例えて言えば、真偽が決定できない嘘つきのパラドクスです。そもそも、憲法が不可侵だとしている人権を制限せざるをえないからこそ、緊急事態であり、例外状態なのですから。そのことを押さえた上で、なお、例外状態の権力には正義があるのか、と問うことができるわけです。

法の内側と外側の境界線

大澤　さきほど国家理性の話が出ましたが、アガンベンの流れで取り上げるべきはベンヤミンですよね。彼は『暴力批判論』において、「法を措定する暴力」と「法を維持する暴力」という二種類の「神話的暴力」に加えて、「神的暴力」ということを書いている。並の理論家なら、二種類の神話的暴力で終わりです。そこまでだったら、多くの人が言いそうです。神話的暴力の外に、とりわけ「法措定的な暴力」とは別に、神的暴力があるところが、ベンヤミンのすごいところです。

この神的な暴力とは何かという問いに、ひとつのヒントがあるような気がしています。アガンベンにとってもベンヤミンは得意とする領域ですから。

國分　アガンベンがベンヤミンの『暴力批判論』を常に念頭に置いていることは間違いありません。僕は勉強不足でベンヤミンについて何かこれというコメントはできないのですが、ベンヤミンがあの論文で警察について述べたことを、アガンベンは行政一般に敷衍して論じているんですね。

大澤　アガンベンの『例外状態』という本の中で、カール・シュミットとベンヤミンを対比して論じている章があって、そこがあの本の中で最もおもしろい箇所です。ベンヤミンの『暴力批判論』は、明確にシュミットに対する反論として読むべきとアガンベンは言っています。ここでシュミットの何を念頭に置いているかというと、彼の『政治神学』です。この中でシュミットは主権者とは「例外状態にかんして決定をくだす者」という有名な定義を出している。しかしアガンベンは、例外状態について主権者による決定ということに回収できないものがある、と見ていた、見ようとしたのだと思います。そうであるから、彼は例外状態においてずばずば決定しているイタリア政府に対して怒っているわけですよね。

ベンヤミンの神的暴力というのは、その主権者の決定ということには回収できない例外状態のアスペクトに対応した概念ではないか。だから、アガンベンは、ベンヤミンに注目しているのだと思います。

それでは「神的暴力」とは何なのかと。これもアガンベンの「生の形式」と同様、抽象的すぎて、何を意味しているのか、解釈が難しいのです。

國分　僕はベンヤミンは全然詳しくないのでとてもお答えできないのですが、神的暴力は『暴力批判論』の中で純粋暴力とも言われており、アガンベンはそれが「目的をもたない手段」であることに注目していますね。法措定的暴力と法維持的暴力という二つの神話的暴力は常に目的にとっての手段であるのに対し、神的暴力はそうではない。しかもベンヤミンは神的暴力と正義の関係の可能性も示唆している。そのことを考えると、緊急事態あるいは例外状態での権力は一般的にいけないということになるのかという大澤さんの先程の質問の意味していたことが少し見えてくるのですが、僕には今のところ、この実に繊細な問題に取り組むだけの勇気がありません。「神的暴力は法を破壊する」とベンヤミンは言うわけですが、そこにある革命のイメージには危険を感じてしまってたじろいでいる状態とでも言えばよいか……。ベンヤミンはいつも危険ギリギリのところに関わる問題設定をしてきます。アガンベンは少しマイルドになっているとはいえ、今回のコロナ関連の論説同様、やはり実は危険ギリギリのところを考えている。そのことは強調しておきたいです。

いきなり話のレベルを下げて恐縮ですが、この話をしていると、憲法学者の方々のお話を伺いながらいつも感じることを思い出すんです。これは皮肉でもなんでもありませんし、こう述べて非難されてもそれは受け入れますが、法学だと明確に「この中で話す」という枠組みがある。これは憲法違反だが、これは憲法違反ではないという話ができる。寄って立つ基盤があることをとても羨ましく思うんです。

でもいま大澤さんと話していることは法の外部に関わっています。法の外部のことだから寄って立つ基盤が見当たらない。だからとても語りにくい。しかし、憲法制定権力や神的暴力、あるいはデリダ的な正義と言ってもいいんですが、今は法について徹底的に考えなければならないと同時に、法の外のことを考えなければならなくなっている。このところ、僕も僕なりにずっと立憲主義の重要性を訴えてきたつもりですが、同時に、立憲主義の限界のようなものも考えなければ有効なことが言えなくなっているのかもしれないとも思うんです。そこに語りにくさがある。

大澤　今回のことは、そういう機会でもあるんですよね。本当は考えないといけないけれど難しいから、と括弧に入れていた問題が露出された。

國分　法と「法の外部」の境界線、人間の社会と自然の境界線、そこに立たされている感じですね。それを容易に跨ぐような言葉は発せられない。けれども、だからこそ特定の対象領域をもたない哲学という営みが重要なのだとも言われそうではあります。そしてその中でもアガンベンこそは例外と境界という問題を徹底して考えてきた哲学者であって、今回彼が注目されたことには必然性があるように思います。

大澤　アガンベンを批判するなら、首相は「法律違反をしてでも」緊急事態的な措置をとるべきだと主張しないといけない。そうでないと筋が通りません。

たとえば、法的に規定されている範囲内では、とてもパンデミックを防げないという事態になったとします。そうなったときに、合法的に許されている範囲を守って、酷い状況でも我慢するのが立派な政治家なのか。それとも国民の命を優先して、憲法や法律の規定がなくても、都市を完全なロックダウンをすると決断するのが、政治家のやるべきことなのか。しかし、後者は、独裁や全体主義への道を開くものなのかもしれない。

いずれにしても緊急事態や非常事態というのは、定義上「例外」なのが当たり前ですよね。規定してあれば、例外じゃないんだから。これからも想定とは違ったタイプの緊急事態がやってくる。そのときにどう振る舞うのが政治として正しいかが問われています。

アガンベンは、死者の問題と移動の自由は絶対譲れないものだから、権力は何があってもそれを排除してはいけないと言った。他方で命が大事だと言う人は、憲法違反などと言っている場合じゃないという議論をしなければいけない。先ほど現在のハンガリーの例も話題になりましたが、例外状態が常態化する可能性とも隣り合わせです。それは歴史の教訓だから、さらに一歩進んで考えなければいけません。

國分　単なる感想ですけど、フランスで外出禁止令が出されたとき、フランス人はそんなものは守らないんじゃないかと思っていたんです。フランス人はそう簡単には言うことは聞かないというのを何度も見ていたので（笑）。ところが実際には相当しっかりと守られていました。これには少し驚いたんです。今は「監禁状態 confinement」が必要だと妙な冷静さで事態を受け入れているように見えました。

少し飛躍するかもしれませんが、最近、社会の文明化を論じたノルベルト・エリアスの仕事に再び関心をもち始めているんです。エリアスは文明化の根源に礼儀作法を見い出し、その過程を暴力が組織化されて非暴力の空間が広がる過程として論じました[*31]。もちろん、単にエリアスが正しいと言いたいわけではないんです。もしかしたら平井秀幸さんが論じている「新しい慎慮主義」（選択の自由がもたらす責任をあくまでも個人的なものとして慎み深く引き受ける新自由主義的主体像）が大きく作用していることも考えられます。ただ文明化についての議論は今を考える上でひとつの足がかりになる。冒頭で大澤さんは「無意識の革命」についてお話なさり、僕は「弁証法」という言葉を出しましたが、文明化も弁証法的ですよね。どうも今回の事態はこの言葉を思い起こさせます。

＊31　ノルベルト・エリアス『文明化の過程（上・下）　ヨーロッパ上流階層の風俗の変遷〈改装版〉』法政大学出版局、二〇一〇年を参照

大澤　僕がアガンベンの論考に対する反応を見ていて、少し驚いたのがナンシーの応答[*32]です。彼の反論が極めて普通だったからです。心臓病を患っているから普通の人以上に生命の問題に敏感だとはいえ、意外です。

　ナンシーの「無為の共同体」という論文がありますね。その中で、彼は死者を看取ることを重視していました。人は自分ひとりで死ぬことはできない。それは、「私は死んだ」という命題は、私を主語にしているのに、私を看取る他者を前提にしているからです。死というのは、自己で完結できない。「死ぬ」という行為は、自我の能動性に絶対に回収できない行動なんですよね。「無為の共同体」の「無為」の原型は「死ぬ」ことです。死は自分にとっては「無為」だが、他者を想定するという構造になっています。そこに共同性の根拠が立ち現れてきます。だからこそ、人はひとりでは死んでいけないということをナンシーは重視していた気がします。

　今回のコロナでは、そういう死に方ができず、死の尊厳自体が奪われる状況があります。そのことにナンシーが敏感でなかったことに意外性を覚えました。

國分　僕は民主主義と死者の権利を同時に考えていたところにアガンベンの重要な教えを読み取りたいと思っています。民主主義に立憲主義は欠かせません。そして立憲主義というのは極限まで突き詰めれば、「決められた法を守る」ということです。けれども、法を決定することはできても、法を守ることを決定はできない。「法を守ること」そのものは法の外側にあるのであって、それは法とは別の力によって支えられる他ない。おそらくそうした力の中で最大の力が歴史の重みです。我々は過去を背負うことによってのみ、現行の秩序を維持することができる。だから、社会が死者への敬意を失い、死者の権利を踏みにじり、ペラッペラの現在だけを生きるようになれば、法を維持するために必要な、法の外側にある法の支えをも失うことになるのではないでしょうか。人間中心主義ならぬ生者中心主義にアガンベンは敏感に反応している理由のひとつもそれではないか。自分が今ものすごく保守的な、もしかしたら危険ギリギリかもしれないことを考えていると一応自覚しているつもりです。ただそのことは自覚しつつ、「死者の権利」については今後も考えていきたいと思っています。

大澤　もちろん、命を軽視することはできないですけどね。生と死は、表と裏の関係です。「剥き出しの生」は人間の関係性を破壊するように作動するけれども、死という反面までも視野に入れると、人間を結びつけるように作用することがある。

死に目を向けて考えていくことはできるかもしれませんね。今、地球上の人類が死と隣り合わせになり、いわば運命共同体になっているのですから。ここから世界共和国への一歩が踏み出せるかもしれません。

今日は、とても深い話ができました。ありがとうございます。

＊32　ジャン＝リュック・ナンシー「共同ウイルス」（Liberation、二〇二〇年三月二十四日）

COVID-19をめぐって

・ジョルジオ・アガンベン「根拠薄弱な緊急事態によって引き起こされた例外状態」二〇二〇年二月二十六日〈Giorgio Agamben, "Lo stato d'eccezione provocato da un'emergenza immotivata"〈https://ilmanifesto.it/lo-stato-deccezione-provocato-da-unemergenza-immotivata/〉〉

・ジョルジオ・アガンベン「補足説明」二〇二〇年三月十七日〈Giorgio Agamben, "Chiarimenti"〈https://www.quodlibet.it/giorgio-agamben-chiarimenti〉〉

・ジョルジオ・アガンベン「問い」二〇二〇年四月十五日〈Giorgio Agamben, "Una domanda"〈https://www.quodlibet.it/giorgio-agamben-una-domanda〉〉

・ジョルジオ・アガンベン「ソーシャル・ディスタンシングについて」二〇二〇年四月六日〈Giorgio Agamben, "Distanziamento sociale"〈https://www.quodlibet.it/giorgio-agamben-distanziamento-sociale〉〉

・ジョルジオ・アガンベン「学生たちへのレクイエム」二〇二〇年五月二十三日〈Giorgio Agamben, "Requiem per gli studenti"〈https://www.iisf.it/index.php/attivita/pubblicazioni-e-archivi/diario-della-crisi/giorgio-agamben-requiem-per-gli-studenti.html〉〉

・斎藤環「コロナ・ピューリタニズムの懸念」二〇二〇年四月二十日〈https://note.com/tamakisaito/n/nffdc218a1854〉

・スラヴォイ・ジジェク「コロナ禍に顕在化した人種差別主義者の要素」二〇二〇年二月二日〈Slavoj Žižek, "Clear racist element to hysteria over new coronavirus"〈https://www.rt.com/op-ed/479970-coronavirus-china-wuhan-hysteria-racist/〉〉

・ジャン＝リュック・ナンシー「共同ウイルス」二〇二〇年三月二十四日〈Jean-Luc Nancy, "Communovirus"〈https://liberation.fr/debats/2020/03/24/communovirus_1782922〉〉

・ジャン＝リュック・ナンシー「ウイルス的例外」二〇二〇年二月二十七日〈Jean-Luc Nancy, "Eccezione virale"〈https://antinomie.it/index.php/2020/02/27/eccezione-virale/〉〉

・ジュディス・バトラー「資本主義とその限界」二〇二〇年三月三〇日〈Judith P. Butler, "Capitalism Has its Limits"〈https://www.versobooks.com/blogs/4603-capitalism-has-its-limits〉〉

・エティエンヌ・バリバール「私たちは危機に直面したときも、それから身を守るときも平等ではない」二〇二〇年四月二十二日〈Etienne Balibar, "Nous ne sommes égaux ni devant le risque ni devant les mesures prises pour le conjurer"〈https://www.lemonde.fr/livres/article/2020/04/22/etienne-balibar-l-histoire-ne-continuera-pas-comme-avant_6037435_3260.html〉〉

・「現代思想　二〇二〇年五月号　緊急特集＝感染／パンデミック——新型コロナウイルスから考える——」

青土社、二〇二〇年
・ミシェル・フーコー、ジョルジオ・アガンベン、ジャン＝リュック・ナンシー、ロベルト・エスポジト、セルジョ・ベンヴェヌート、ディブヤ・ドウィヴェディ、シャジ・モハン、ロッコ・ロンキ、マッシモ・デ・カロリス「コロナウイルスと哲学者」（M. Foucault, G. Agamben, J.L. Nancy, R. Esposito, S. Benvenuto, D. Dwivedi, S. Mohan, R. Ronchi, M. de Carolis, "Coronavirus and philosophers"〈https://www.journal-psychoanalysis.eu/coronavirus-and-philosophers/〉）

「無意識下の革命」（対談六十～六十三、七十二～七十六頁）

・ジョン・エルスター（玉手慎太郎 訳）『酸っぱい葡萄　合理性の転覆について』勁草書房、二〇一八年
・アントニオ・ネグリ、マイケル・ハート（水嶋一憲、酒井隆史、浜邦彦、吉田俊実 訳）『〈帝国〉グローバル化の世界秩序とマルチチュードの可能性』以文社、二〇〇三年
・アントニオ・ネグリ、マイケル・ハート（幾島幸子訳）『マルチチュード（上・下）』ＮＨＫ出版、二〇〇五年
・カール・マルクス（山村喬 訳）『哲学の貧困』岩波書店、一九五〇年
・カール・マルクス（的場昭弘編 訳著）『新訳　哲学の貧困』作品社、二〇二〇年
・カール・マルクス、フリードリヒ・エンゲルス（大内兵衛、向坂逸郎 訳）『共産党宣言〈改版〉』岩波書店、一九七一年

「理性の公共的使用」（対談六十七～七十二頁）

・イマヌエル・カント（篠田英雄 訳）『啓蒙とは何か　他四篇〈改版〉』岩波書店、一九七四年
・イマヌエル・カント（中山元 訳）『永遠平和のために／啓蒙とは何か　他三編』光文社、二〇〇六年

「移動の自由」（対談八十一～八十三頁）

・柄谷行人、見田宗介、大澤真幸『戦後思想の到達点　柄谷行人、自身を語る 見田宗介、自身を語る（シリーズ・戦後思想のエッセンス）』ＮＨＫ出版、二〇一九年
・柄谷行人『哲学の起源』岩波書店、二〇二〇年
・ミシェル・フーコー（田村俶 訳）『監獄の誕生――監視と処罰』新潮社、一九七七年

「最も優れ、賢いはずの人が、最悪の過ちをおかしているように見える」（対談八十四～八十六頁）

・大澤真幸『三島由紀夫　ふたつの謎』集英社、二〇一八年
・加藤典洋『敗戦後論』筑摩書房、二〇一五年
・加藤典洋『9条入門』創元社、二〇一九年

「人間の条件」（対談九十一〜九十九、一〇八頁）

- ハンナ・アーレント（志水速雄 訳）『人間の条件』筑摩書房、一九九四年
- ハンナ・アーレント（大久保和郎 訳）『全体主義の起源1　反ユダヤ主義〈新版〉』みすず書房、二〇一七年
- ハンナ・アーレント（大島通義、大島かおり 訳）『全体主義の起源2　帝国主義〈新版〉』みすず書房、二〇一七年
- ハンナ・アーレント（大久保和郎、大島かおり 訳）『全体主義の起源3　全体主義〈新版〉』みすず書房、二〇一七年
- マルティン・ハイデッガー（細谷貞雄 訳）『存在と時間〈上・下〉』筑摩書房、一九九四年
- マルティン・ハイデッガー（熊野純彦 訳）『存在と時間　全四冊セット』岩波書店、二〇一三年
- マルティン・ハイデッガー（高田珠樹 訳）『存在と時間』作品社、二〇一三年

「生権力・生政治／剥き出しの生／生の形式」（対談九十四〜一〇九頁）

- ジョルジオ・アガンベン（高桑和巳 訳）『バートルビー　偶然性について』月曜社、二〇〇五年
- ジョルジオ・アガンベン（高桑和巳 訳）『ホモ・サケル　主権権力と剥き出しの生』以文社、二〇〇七年
- ジョルジオ・アガンベン（上村忠男、中村勝己 訳）『例外状態』未来社、二〇〇七年
- ジョルジオ・アガンベン（岡田温司、多賀健太郎 訳）『開かれ　人間と動物』平凡社、二〇一一年

・ジョルジオ・アガンベン（太田綾子、上村忠男 訳）『いと高き貧しさ　修道院規則と生の形式』みすず書房、二〇一四年

・ジョルジオ・アガンベン（上村忠男 訳）『身体の使用　脱構成的可能態の理論のために』みすず書房、二〇一六年

・大澤真幸『生権力の思想　事件から読み解く現代社会の転換』筑摩書房、二〇一三年

・大澤真幸「〈連載〉社会性の起源」講談社PR誌『本』二〇一四年一月号〜現在

・リチャード・ドーキンス（日高敏隆、岸由二、羽田節子、垂水雄二 訳）『利己的な遺伝子〈増補新装版〉』紀伊国屋書店、二〇〇六年

・ミシェル・フーコー（渡辺守章 訳）『知への意志』新潮社、一九八六年

・ミシェル・フーコー（高桑和巳 訳）『ミシェル・フーコー講義集成7　安全・領土・人口（コレージュ・ド・フランス講義 1977-1978）』筑摩書房、二〇〇七年

・真木悠介（三田宗介）『自我の起原　愛とエゴイズムの動物社会学』岩波書店、二〇〇八年

「法の内側と外側の境界線」（対談一〇九〜一二七頁）

・大竹弘二『公開性の根源　秘密政治の系譜学』太田出版、二〇一八年

・ジャック・デリダ（堅田研一 訳）『法の力〈新装版〉（叢書・ウニベルシタス）』法政大学出版局、二〇一一年

・ヴァルター・ベンヤミン（野村修編 訳）『暴力批判論　他十篇（ベンヤミンの仕事1）』岩波書店、一九九四年

・カール・シュミット（田中浩、原田武雄訳）『政治神学』未来社、一九七一年
・橋爪大三郎『国家緊急権』ＮＨＫ出版、二〇一四年

「無為の共同体」（対談二八〜二九頁）

・ジャン＝リュック・ナンシー（西谷修、安原伸一朗訳）『無為の共同体　哲学を問い直す分有の思考』以文社、二〇〇一年
・モーリス・ブランショ（西谷修訳）『明かしえぬ共同体』筑摩書房、一九九七年

追悼

中村哲さんを悼んで——井戸は地下水脈につながっている

大澤真幸

『THINKING「O」』の創刊号に登場していただいた、ペシャワール会代表の中村哲さんが、二〇一九年十二月四日に亡くなった。アフガニスタンのジャラーラーバードで、何者かによる凶弾に斃れたのだ。私たちはまだその喪失感から立ち直ることができずにいる。

そんな中でこそ、問わないわけにはいかない。残された私たちがなしうること、いやなすべきことは何だろうか、と。それは、中村さんの仕事を普遍化することだ。中村さんのやってこられたことの中核的な意味を理解し、それと等価なことを普遍的な広がりにおいて反復することだ。

中村哲さんは、圧倒的な例外である。あれほどのことをしてきた人、あれほどのことができた人は他にいない。にもかかわらず、私たちは、あれは中村さんにしかできない、あれは中村さんだからできたことだ、と言ってはならない。逆に、こう言えなくてはならない。中村さんができたのだから、それに匹敵すること、それと同じ意味をもつことは誰にでもできるはずだ、と。私たちは、中村哲さんの例外性が同時に普遍性でもあることを証明しなくてはならない。そこにこそ、中村さんの願望が、中村さんの遺志があるに違いない。

私は、中村さんの活動がなにゆえに、そしていかにして、驚異的な成果をあげることができたのかを、最も深い部分において理論的に理解したい。どうしてそんなことをする必要があるのか。中村さんの例外性を普遍性へと反転させるルートを見出すためである。

中村さんが実現したことは、奇蹟としか思えないふしぎを含んでいる。たとえば、中村さんを導いた最も基本的な方針である、徹底した現地主義。中村さんたちペシャワール会の人たちは現場に立ち、現地の人々と一緒に活動した。ここに、ペシャワール会とアフガニスタンに集まってきた他のＮＧＯとの圧倒的な違いがあった。中村さんたちは、現地の価値観を尊重し、前提にしたことはもちろんだが、井戸を掘るときも用水路を造るときも、現地の技術、現地で実現可能な技術だけを用いた。要するに、中村さんはひとりのアフガンとして活動した。だが、そうだとすると、とてもふしぎなことが起きていたことに気づく。中村さん自身が現地の人の中に溶け込んでいたのだとすれば、どうして、現地の人々だけで困難を乗り越えることができなかったのだろうか。現地で実現可能な技術だけが用いられていたのであれば、どうして現地の人々だけで自発的に問題が解決されなかったのだろうか。どうして中村さんが必要だったのか。

　とりわけふしぎなのは、紛争処理の問題である。アフガニスタンでは、誰が味方で、誰が敵であるとも確定できない錯綜した争いがずっと続いている。それだけではない。一本の用水路は多くの現地人に恩恵をもたらすが、その恩恵は全員に平等にゆきわたるわけではない。中村さんたちが造った井戸や用水路もまた紛争の原因になりうる。どうして中村さんはこうした紛争を圧倒的に緩和することができたのだろうか。潜在的なものも含む多くの紛争のほとんどを中村さんは解消し、現地の大半の人を満足させ、納得させた。こうしたことは、現地の人々だけではほとんど前進させることができなかったことだ。どうして中村さんにはそれができたのか。

　こうした謎を解くことが、中村さんの実践を理論的に理解することである。「中村哲」を継承し、反復するためには、理論化が必要だ。中村さん自身は、経験や勘や直観を通じて、そしてもちろん驚異的なまでの粘り強さを通じて、「奇蹟」を成し遂げた。しかし、それを反復することを目指す私たちは、ただ闇雲に中村さんを模倣しても失敗するだろう。だが、ほとんど不可能にも見える奇蹟がいかにして実現されたのか、その秘密を概念的に把握し、理論の形式にしておけば、中村さんが無意識のうちに成し遂げたことを私たちが反復することができる。

中村さんは、私との対談で、次のように語っている。「もし真理というものがあるとすれば、それは地下水みたいなものです。どこを掘っても出てくるんですね。ただ、あちこそチョロチョロと動いていると、水は出てこない。一カ所にじっととどまって掘りつづける」。「自分のいるところをじっと掘りつづける。そういうことで真理は見えてくるのでしょう」。

網の目のように拡がっている地下水脈は、どこにでも通じている真理の普遍性の喩えである。中村さんは、アフガニスタンという地にとどまり、それこそ文字通り井戸を掘り、用水路を造り、真理という地下水に到達した。中村さんの実践が、どこで地下水に接しているのか、それを正確に見定めるのが、理論である。私たちが、中途半端な深さで地下水に達したと勘違いしないために、十分に深い理論が必要だ。

そして、最終的には、「中村哲」をさまざまな場所で――いやあらゆる場所で――実際の行動において反復し、中村哲という例外性がほんとうに普遍性に直結していることを証明しよう。井戸が地下水脈につながっていたことを示そう。

二〇二〇年二月

大澤真幸＝1958年生まれ。社会学。個人思想誌「THINKING「O」」主宰。『ナショナリズムの由来』で毎日出版文化賞を受賞。『自由という牢獄』で河合隼雄学芸賞を受賞。ほかの著書に世界史の謎を読み解いた『〈世界史〉の哲学』「古代篇」「中世篇」「東洋篇」「イスラーム篇」「近世篇」のほか、『不可能性の時代』『〈自由〉の条件』『生権力の思想』『可能なる革命』『憎悪と愛の哲学』『サブカルの想像力は資本主義を超えるか』『三島由紀夫 ふたつの謎』『社会学史』など。共著に『ふしぎなキリスト教』『二千年紀の社会と思想』『ゆかいな仏教』『憲法の条件』『げんきな日本論』など。

大澤真幸 THINKING オー 016

コロナ時代の哲学

二〇二〇年七月三十日　第一刷発行

著者　大澤真幸
ゲスト　國分功一郎
発行者　小柳学
発行所　株式会社左右社
〒一五〇-〇〇〇二　東京都渋谷区渋谷二-七-六-五〇二
TEL 〇三-三四八六-六五八三　FAX 〇三-三四八六-六五八四
http://www.sayusha.com
装幀　松田行正＋杉本聖士
印刷　創栄図書印刷株式会社

 ISBN978-4-86528-286-3

大澤真幸 THINKING「O」 既刊

創刊号
連帯のあたらしいかたち〈ランダムな線〉
ゲスト 中村哲
定価 本体一〇〇〇円＋税 2010.4

創刊2号
民主党よ、政権交代に託した夢を手放すな
ゲスト 姜尚中・小木郁夫
定価 本体一〇〇〇円＋税 2010.5

第3号
民主革命としての裁判員制度
ゲスト 四宮啓・河野義行
定価 本体一〇〇〇円＋税 2010.6

第4号
もうひとつの『1Q84』
ゲスト 辻井喬
定価 本体一〇〇〇円＋税 2010.7

第5号
脳はひとつの〈社会〉である
ゲスト 茂木健一郎
定価 本体一〇〇〇円＋税 2010.8

第6号
生きることを哲学する
ゲスト　鷲田清一
定価　本体一〇〇〇円＋税　2010.9

第7号
「人生という物語」の呪縛から逃れて
ゲスト　角田光代・森達也
定価　本体一〇〇〇円＋税　2010.10

第8号
「正義」について論じます
ゲスト　宮台真司
定価　本体一〇〇〇円＋税　2010.11

第9号
天皇の謎を解きます
緊急特集　東北関東大震災――希望はどこかにある
ゲスト　佐伯啓思・高澤秀次
定価　本体一〇〇〇円＋税　2011.4

第10号
3・11後の日本経済
ゲスト　岩井克人
定価　本体一〇〇〇円＋税　2011.10

別冊
3・11後の思想家25
大澤真幸／武田徹／北田暁大／丸川哲史／高澤秀次　他
定価　本体二五〇〇円＋税　2012.1

大澤真幸 THINKING「O」 既刊

011 **やっぱりふしぎなキリスト教** 2012.12
シンポジウム 大貫隆・高橋源一郎・橋爪大三郎・大澤真幸
対談ゲスト 橋爪大三郎 定価 本体一三〇〇円＋税

012 **ピケティ『21世紀の資本』を超えて** 2015.6
ゲスト 小野善康 定価 本体一二〇〇円＋税

013 **日本人が70年間一度も考えなかったこと** 2015.11
ゲスト 姜尚中 定価 本体一二〇〇円＋税

014 **〈わたし〉と〈みんな〉の社会学** 2017.4
ゲスト 見田宗介／真木悠介 定価 本体一四五〇円＋税

015 **今という驚きを考えたことがありますか** 2018.6
ゲスト 永井均 定価 本体一三五〇円＋税